똑 똑 한
하루
사고력

창의·융합·서술·코딩

초등
수학 **5B**
5학년 수준

구성 및 특장

어떤 문제가 주어지더라도 해결할 수 있는 능력,
이미 알고 있는 것을 바탕으로 새로운 것을 이해하는 능력
위와 같은 능력이 사고력입니다.

똑똑한 하루 사고력

개념 · 원리 길잡이

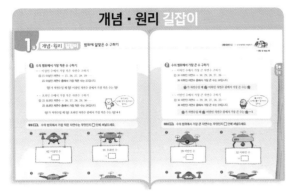

개념과 원리를 배우고 문제를 통해 익힙니다.

하루에 6쪽씩
하나의
주제로 학습합니다.

서술형 · 독해력 길잡이

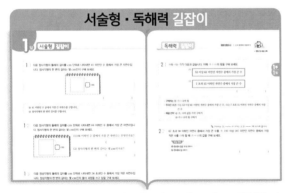

서술형 문제를 푸는 연습을 하고 긴 문제도 해석할 수 있는 독해력을 키웁니다.

사고력 · 코딩

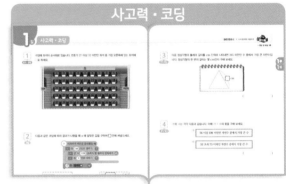

한 주 동안 학습한 내용과 관련 있는 창의 · 융합 문제와 코딩 문제를 풀어 봅니다.

똑똑한 하루 사고력 특강과 테스트

한 주의 특강

특강 부분을 통해 더 다양한 사고력 문제를 풀어 봅니다.

누구나 100점 테스트

한 주 동안 공부한 내용으로 테스트합니다.

차례

너 멘사 클럽이 뭔 줄 알아?

물론이지.

멘사 클럽은 아이큐가 148 이상이면 가입할 수 있는 단체잖아.

IQ 148 이상 ~

148 이상?

148, 149, 150……과 같이 148과 같거나 큰 수를 말해.

정말 아깝다.

뭐가?

내 아이큐가 148에 조금 못 미쳐서 멘사 클럽에 못 들어가게 되어서.

넌 아이큐가 148 미만이구나!

148 미만이라고? 148 미만은 148보다 작은 수인가 보네.

맞아.

아이큐가 얼마인데?

이번 수학 시험 점수가 50점이니까 아이큐도 50 정도일려나……

만화로 미리 보기

• 초과와 미만

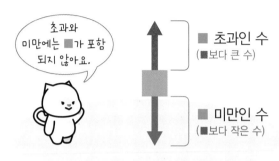

■ 초과인 수
(■보다 큰 수)

■ 미만인 수
(■보다 작은 수)

초과와 미만에는 ■가 포함되지 않아요.

• 이상과 이하

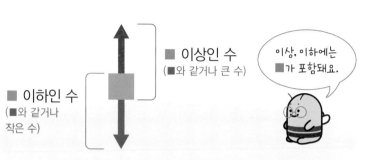

■ 이상인 수
(■와 같거나 큰 수)

■ 이하인 수
(■와 같거나 작은 수)

이상, 이하에는 ■가 포함돼요.

확인 문제

1-1 관계있는 것끼리 선으로 이어 보세요.

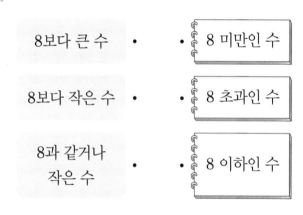

8보다 큰 수 •

8보다 작은 수 •

8과 같거나 작은 수 •

• 8 미만인 수

• 8 초과인 수

• 8 이하인 수

한번 더

1-2 관계있는 것끼리 선으로 이어 보세요.

9보다 큰 수 •

9보다 작은 수 •

9와 같거나 큰 수 •

• 9 초과인 수

• 9 이상인 수

• 9 미만인 수

2-1 45 이상인 수에 모두 ○표 하세요.

20	24	38	44
22	14	46	500
45	10	55	21

2-2 67 이하인 수에 모두 ○표 하세요.

42	110	87	99
200	89	53	77
37	680	67	73

• 올림과 버림

올림하여 백의 자리까지 나타내기

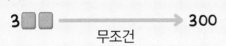

백의 자리 아래에 0이
아닌 수가 있으면

버림하여 백의 자리까지 나타내기

3▇▇ ⟶ 300

무조건

• 반올림

반올림하여 백의 자리까지 나타내기

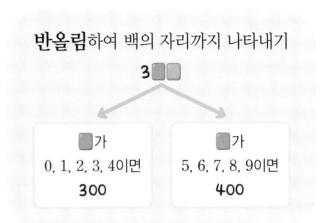

| ▇가 0, 1, 2, 3, 4이면 **300** | ▇가 5, 6, 7, 8, 9이면 **400** |

확인 문제

3-1 올림하여 백의 자리까지 나타내어 보세요.

257

( )

한번 더

3-2 올림하여 십의 자리까지 나타내어 보세요.

406

( )

4-1 버림하여 십의 자리까지 나타내어 보세요.

497

( )

4-2 버림하여 백의 자리까지 나타내어 보세요.

2478

( )

5-1 다음 수를 버림, 반올림하여 백의 자리까지 나타내어 보세요.

2545	
버림	
반올림	

5-2 다음 수를 올림, 반올림하여 천의 자리까지 나타내어 보세요.

3674	
올림	
반올림	

1 수의 범위에서 가장 작은 수 구하기

- ~ 이상인 수에서 가장 작은 자연수 구하기

    예 25 이상인 자연수 → 25, 26, 27, 28, 29……

    25 이상인 자연수 중에서 가장 작은 수는 25입니다.

    ♥가 자연수일 때 ♥ 이상인 자연수 중에서 가장 작은 수는 ♥

- ~ 초과인 수에서 가장 작은 자연수 구하기

    예 25 초과인 자연수 → 26, 27, 28, 29, 30……

    25 초과인 자연수 중에서 가장 작은 수는 26입니다.

     ♥ 초과인 수에는 ♥가 들어가지 않아요.

    ♥가 자연수일 때 ♥ 초과인 자연수 중에서 가장 작은 수는 ♥+1

활동 문제 수의 범위에서 가장 작은 자연수는 무엇인지 ☐ 안에 써넣으세요.

❶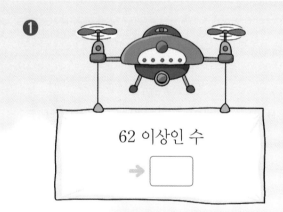

62 이상인 수

→ ☐

❷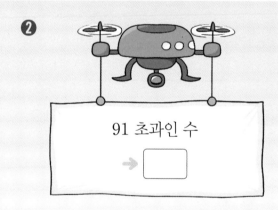

91 초과인 수

→ ☐

❸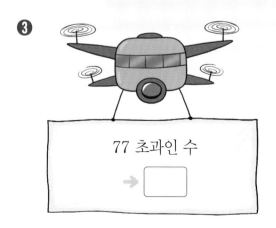

77 초과인 수

→ ☐

❹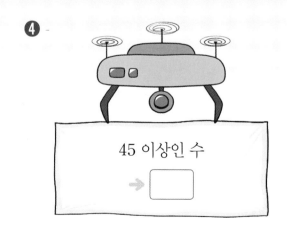

45 이상인 수

→ ☐

▶ 정답 및 해설 2쪽

2 수의 범위에서 가장 큰 수 구하기

• ~ 이하인 수에서 가장 큰 자연수 구하기

예 30 이하인 자연수 ➡ 30, 29, 28, 27, 26……

30 이하인 자연수 중에서 가장 큰 수는 30입니다.

> ❀가 자연수일 때 ❀ 이하인 자연수 중에서 가장 큰 수는 ❀

• ~ 미만인 수에서 가장 큰 자연수 구하기

예 30 미만인 자연수 ➡ 29, 28, 27, 26, 25……

30 미만인 자연수 중에서 가장 큰 수는 29입니다.

❀ 미만인 수에는 ❀이 들어가지 않아요.

> ❀가 자연수일 때 ❀ 미만인 자연수 중에서 가장 큰 수는 ❀−1

활동 문제   수의 범위에서 가장 큰 자연수는 무엇인지 ▢ 안에 써넣으세요.

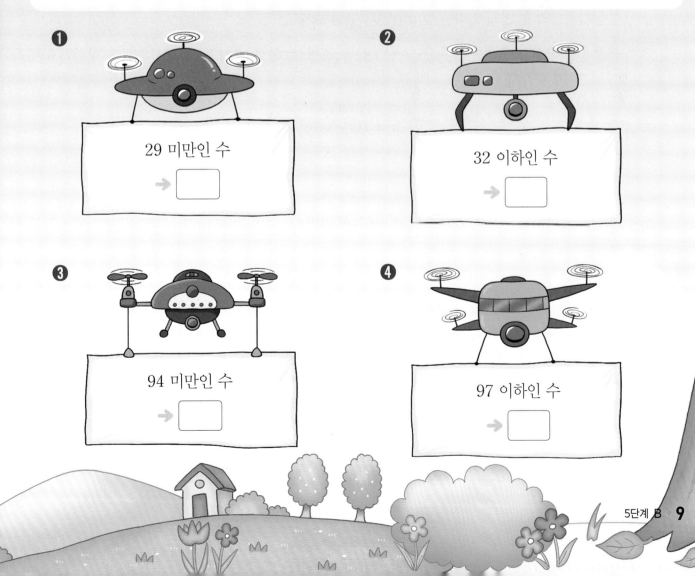

❶ 29 미만인 수

➡ ▢

❷ 32 이하인 수

➡ ▢

❸ 94 미만인 수

➡ ▢

❹ 97 이하인 수

➡ ▢

1-1 다음 정사각형의 둘레의 길이를 cm 단위로 나타내면 41 미만인 수 중에서 가장 큰 자연수입니다. 정사각형의 한 변의 길이는 몇 cm인지 구해 보세요.

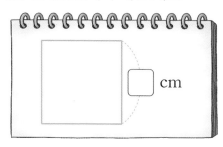

( )

❶ 41 미만인 수 중에서 가장 큰 자연수를 구합니다.
❷ 정사각형의 한 변의 길이를 구합니다.

1-2 다음 정사각형의 둘레의 길이를 cm 단위로 나타내면 84 이하인 수 중에서 가장 큰 자연수입니다. 정사각형의 한 변의 길이는 몇 cm인지 구해 보세요.

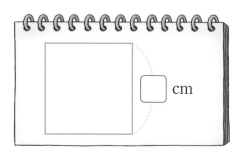

(1) 84 이하인 수 중에서 가장 큰 자연수는 무엇인가요?

( )

(2) 정사각형의 한 변의 길이는 몇 cm인가요?

( )

1-3 다음 정삼각형의 둘레의 길이를 cm 단위로 나타내면 56 초과인 수 중에서 가장 작은 자연수입니다. 정삼각형의 한 변의 길이는 몇 cm인지 풀이 과정을 쓰고 답을 구해 보세요.

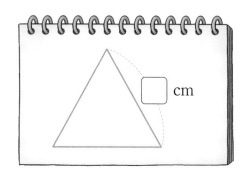

풀이 _____

_____

_____

답 _____

독해력 길잡이

2-1 ㉮와 ㉯는 각각 다음과 같습니다. 이때 ㉮÷㉯의 몫을 구해 보세요.

㉮
> 53 이상 61 미만인 자연수 중에서 가장 큰 수

㉯
> 7 초과 15 이하인 자연수 중에서 가장 큰 수

(   )

- 구하려는 것: ㉮÷㉯의 몫
- 주어진 조건: ㉮는 53 이상 61 미만인 자연수 중에서 가장 큰 수, ㉯는 7 초과 15 이하인 자연수 중에서 가장 큰 수
- 해결 전략: ❶ ㉮, ㉯의 값을 각각 구하기
            ❷ ㉮÷㉯의 몫 구하기

✎ 구하려는 것(〜〜)과 주어진 조건(———)에 표시해 봅니다.

2-2 67 초과 98 이하인 자연수 중에서 가장 큰 수를 ㉮, 197 이상 287 미만인 자연수 중에서 가장 작은 수를 ㉯라 할 때 ㉮＋㉯의 값을 구해 보세요.

▶ **해결 전략**
❶ ㉮, ㉯의 값을 각각 구하기
❷ ㉮+㉯의 값 구하기

(   )

2-3 25 이상 78 이하인 자연수 중에서 가장 작은 수를 ㉮, 6 초과 101 미만인 자연수 중에서 가장 큰 수를 ㉯라 할 때 ㉮×㉯의 값을 구해 보세요.

(   )

1

창의 · 융합

극장에 좌석이 순서대로 있습니다. 번호가 27 이상 32 미만인 좌석 중 가장 오른쪽에 있는 좌석에 ○표 하세요.

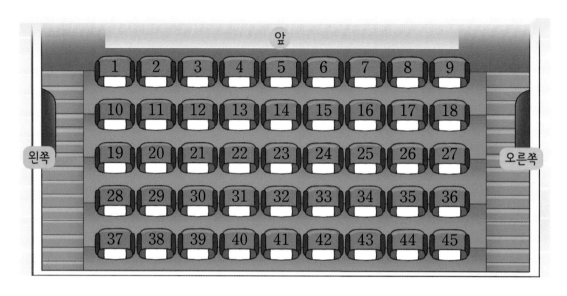

2

코딩

다음과 같은 코딩에 따라 결과가 나왔을 때 ★에 알맞은 값을 구하여 □ 안에 써넣으세요.

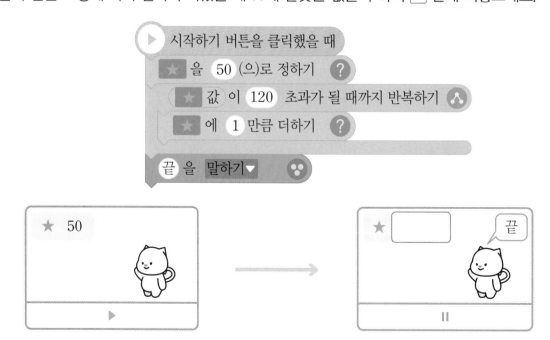

3
문제 해결

다음 정삼각형의 둘레의 길이를 cm 단위로 나타내면 265 미만인 수 중에서 가장 큰 자연수입니다. 정삼각형의 한 변의 길이는 몇 cm인지 구해 보세요.

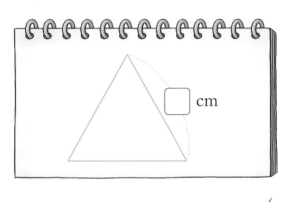

(   )

4
문제 해결

㉮와 ㉯는 각각 다음과 같습니다. 이때 ㉮÷㉯의 몫을 구해 보세요.

㉮ 76 이상 220 미만인 자연수 중에서 가장 큰 수

㉯ 52 초과 73 이하인 자연수 중에서 가장 큰 수

(   )

5
문제 해결

17 초과 163 미만인 자연수 중에서 가장 큰 수를 가장 작은 수로 나누었을 때의 몫을 구해 보세요.

(   )

1 수의 범위에 알맞은 자연수의 개수 구하기 (1)

예

15와 90을 포함합니다.

15 이상 90 이하인 자연수의 개수 ➡ $90 - 15 + 1 = 76$(개)

예

15와 90을 포함하지 않습니다.

15 초과 90 미만인 자연수의 개수 ➡ $90 - 1 - 15 = 74$(개)

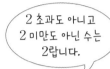

2 초과도 아니고 2 미만도 아닌 수는 2랍니다.

활동 문제 　책이 번호 순서대로 꽂혀 있습니다. 범위에 맞는 책을 모두 빼내려고 할 때 빼내야 하는 책이 있는 곳을 ☐로 묶고, 몇 권을 빼내야 하는지 구해 보세요.

❶

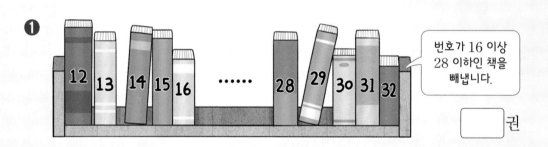

12　13　14　15　16　……　28　29　30　31　32

번호가 16 이상 28 이하인 책을 빼냅니다.

☐ 권

❷

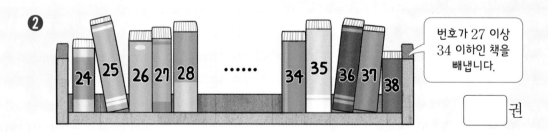

24　25　26　27　28　……　34　35　36　37　38

번호가 27 이상 34 이하인 책을 빼냅니다.

☐ 권

❸

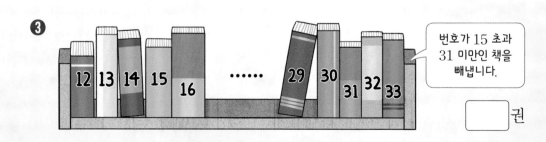

12　13　14　15　16　……　29　30　31　32　33

번호가 15 초과 31 미만인 책을 빼냅니다.

☐ 권

▶ 정답 및 해설 3쪽

1주 2일

❷ 수의 범위에 알맞은 자연수의 개수 구하기 (2)

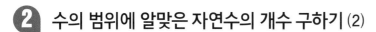

예

15는 포함하고 90은 포함하지 않습니다.

15 이상 90 미만인 자연수의 개수 ➡ $90-15=75$(개)

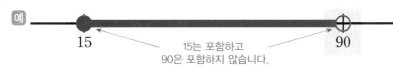

예

15는 포함하지 않고 90은 포함합니다.

15 초과 90 이하인 자연수의 개수 ➡ $90-15=75$(개)

$90-1-15+1$은 $90-15$와 같아요.

활동 문제 책이 번호 순서대로 꽂혀 있습니다. 범위에 맞는 책을 모두 빼내려고 할 때 빼내야 하는 책이 있는 곳을 ▢로 묶고, 몇 권을 빼내야 하는지 구해 보세요.

❶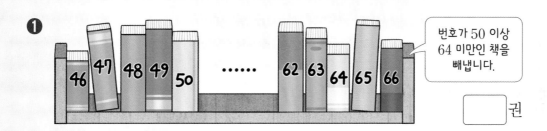

46 47 48 49 50 …… 62 63 64 65 66

번호가 50 이상 64 미만인 책을 빼냅니다.

▢ 권

❷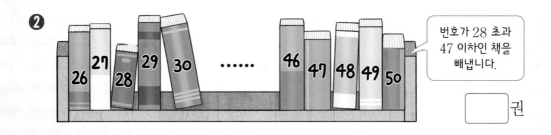

26 27 28 29 30 …… 46 47 48 49 50

번호가 28 초과 47 이하인 책을 빼냅니다.

▢ 권

❸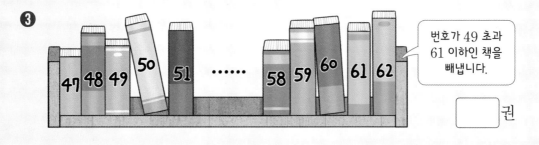

47 48 49 50 51 …… 58 59 60 61 62

번호가 49 초과 61 이하인 책을 빼냅니다.

▢ 권

1-1 수직선에 나타낸 수의 범위에 포함되는 자연수는 7개입니다. ㉠은 얼마인지 구해 보세요.
(단 ㉠은 자연수입니다.)

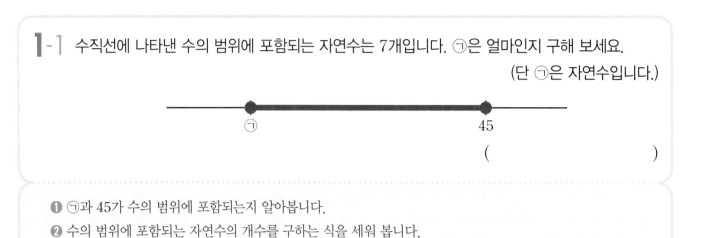

45

( )

❶ ㉠과 45가 수의 범위에 포함되는지 알아봅니다.
❷ 수의 범위에 포함되는 자연수의 개수를 구하는 식을 세워 봅니다.
❸ ㉠에 알맞은 수를 구합니다.

1-2 수직선에 나타낸 수의 범위에 포함되는 자연수는 9개입니다. ㉠은 얼마인지 구해 보세요.
(단 ㉠은 자연수입니다.)

53

(1) ㉠과 53은 수의 범위에 포함되나요?

( )

(2) ㉠은 얼마일까요?

( )

1-3 수직선에 나타낸 수의 범위에 포함되는 자연수는 11개입니다. ㉠은 얼마인지 풀이 과정을 쓰고 답을 구해 보세요. (단 ㉠은 자연수입니다.)

77 ㉠

풀이

답

2-1 1부터 100까지 자연수 카드가 한 장씩 있습니다. 두 사람의 대화를 보고 두 사람이 모으려는 카드 중에서 겹치는 카드는 몇 장인지 구해 보세요.

나는 자연수 카드 중에서 15 이상 37 이하인 수를 모두 모을 거야.

나는 자연수 카드 중에서 25 초과 42 미만인 수를 모두 모을 거야.

(　　　　　　　　)

- 구하려는 것: 두 사람이 모으려는 카드 중에서 겹치는 카드의 수
- 주어진 조건: 한 사람은 15 이상 37 이하, 다른 한 사람은 25 초과 42 미만인 자연수 카드를 모음.
- 해결 전략: ❶ 두 수의 범위 중에서 겹치는 범위 구하기
　　　　　❷ 겹치는 범위의 자연수의 개수 구하기

✎ 구하려는 것(～～～)과 주어진 조건(———)에 표시해 봅니다.

2-2 1부터 100까지 자연수 카드가 한 장씩 있습니다. 두 사람의 대화를 보고 두 사람이 모으려는 카드 중에서 겹치는 카드는 몇 장인지 구해 보세요.

나는 자연수 카드 중에서 37 초과 67 이하인 수를 모두 모을 거야.

나는 자연수 카드 중에서 20 이상 49 미만인 수를 모두 모을 거야.

해결 전략
❶ 두 수의 범위 중에서 겹치는 범위 구하기
❷ 겹치는 범위의 자연수의 개수 구하기

(　　　　　　　　)

2-3 두 범위에 모두 포함되는 자연수는 몇 개인지 구해 보세요.

- 67 이상인 수
- 48 초과 97 이하인 수

(　　　　　　　　)

1
창의·융합

사물함에 번호가 순서대로 쓰여 있습니다. 번호가 13 초과 18 미만인 사물함이 예준이네 모둠 친구들의 사물함이라고 합니다. 예준이네 모둠 친구들의 사물함은 모두 몇 개인지 구해 보세요.

1	2	3	4	5	6	7
8	9	10	11	12	13	14
15	16	17	18	19	20	21

(   )

2
코딩

다음과 같이 자연수를 분류했을 때 ⓛ으로 나오는 자연수는 모두 몇 개인지 구해 보세요.

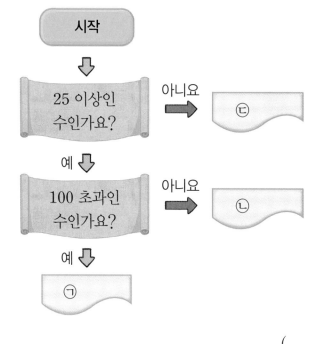

시작

25 이상인 수인가요? → 아니요 → ㉢

예 ↓

100 초과인 수인가요? → 아니요 → ㉡

예 ↓

㉠

(   )

▶ 정답 및 해설 4쪽

1주
2일

3
문제 해결

수직선 가와 나에 나타낸 수의 범위에 공통으로 포함되는 자연수는 모두 몇 개인지 구해 보세요.

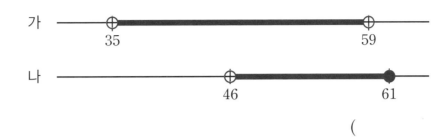

(　　　　　　　　　)

4
추론

수직선에 나타낸 수의 범위에 포함되는 자연수는 13개입니다. ◆는 얼마인지 구해 보세요.

(단 ◆는 자연수입니다.)

(　　　　　　　　　)

5
문제 해결

1부터 100까지 자연수 카드가 한 장씩 있습니다. 두 사람의 대화를 보고 두 사람이 모으려는 카드 중에서 겹치는 카드는 몇 장인지 구해 보세요.

나는 자연수 카드 중에서 68 이상 99 미만인 수를 모두 모을 거야.

나는 자연수 카드 중에서 46 초과 78 이하인 수를 모두 모을 거야.

(　　　　　　　　　)

1 **올림을 활용하여 문제 해결하기**

부족하지 않게 구입하기, 버스에 탈 수 있는 인원이 정해져 있을 때 필요한 버스의 수 구하기 등 ➡ **올림을 활용**

예 공책이 243권 필요합니다. 문구점에서 공책을 10권씩 묶어 팔 때 최소 몇 권을 사야 하는지 구해 보세요.

올림 활용

➡ 243을 올림하여 십의 자리까지 나타냅니다. (243 → 250)

➡ 최소 250권을 사야 합니다. → 240권을 사면 부족합니다.

활동 문제 과일 값을 주어진 지폐로 내려고 합니다. 지폐를 최소 몇 장 내야 하는지 ☐ 안에 알맞은 수를 써넣으세요.

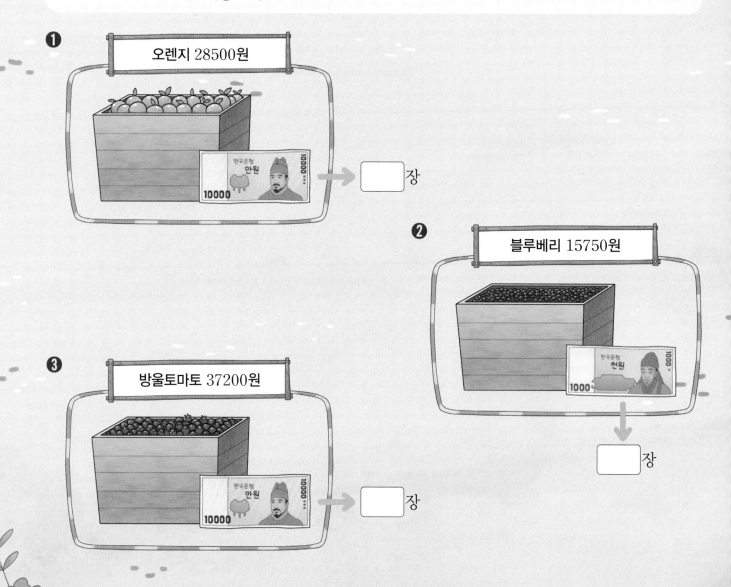

❶ 오렌지 28500원 ☐ 장

❷ 블루베리 15750원 ☐ 장

❸ 방울토마토 37200원 ☐ 장

2 버림을 활용하여 문제 해결하기

동전을 지폐로 바꾸려고 할 때 바꿀 수 있는 금액 구하기, 과일을 상자에 넣어 팔려고 할 때 팔 수 있는 상자의 수 구하기 등 ➡ 버림을 활용

예 100원짜리 동전이 235개 있습니다. 이 돈을 천 원짜리 지폐로 바꾸려고 할 때 최대 얼마까지 바꿀 수 있는지 구해 보세요.

> 버림 활용

➡ 100원짜리 동전 235개는 23500원입니다.

➡ 23500원을 버림하여 천의 자리까지 나타냅니다. (23500 → 23000)

➡ 최대 23000원까지 바꿀 수 있습니다.

활동 문제 동전을 모은 저금통을 열었을 때 나온 동전입니다. 주어진 지폐로 바꿀 때 최대 몇 장까지 바꿀 수 있는지 □ 안에 알맞은 수를 써넣으세요.

❶ 500 한국은행 3개 100 한국은행 4개
천 원짜리 지폐로 바꿔 주세요.
➡ ▢ 장

❷ 500 한국은행 20개 100 한국은행 5개
천 원짜리 지폐로 바꿔 주세요.
➡ ▢ 장

❸ 500 한국은행 100개 100 한국은행 20개
만 원짜리 지폐로 바꿔 주세요.
➡ ▢ 장

1-1 진호네 학교 학생 163명이 모두 승합차를 타려고 합니다. 승합차 한 대에 학생이 최대 10명까지 탈 수 있다면 승합차는 최소 몇 대가 필요한지 구해 보세요.

(   )

● 승합차는 최소 몇 대 필요한지 구해야 하므로 올림을 이용합니다.

1-2 감이 341개 있습니다. 감을 한 상자에 10개씩 넣어 팔려고 합니다. 팔 수 있는 감은 최대 몇 개인지 구해 보세요.

(1) 상자에 넣어 팔 수 없는 감이 있나요?

(   )

(2) 올림과 버림 중에서 어떤 방법으로 어림해야 좋을지 알아보세요.

(   )

(3) 팔 수 있는 감은 최대 몇 개일까요?

(   )

1-3 관광객 214명이 모두 유람선을 타려고 합니다. 유람선 한 대에 관광객이 최대 100명까지 탈 수 있다면 유람선은 최소 몇 대가 필요한지 풀이 과정을 쓰고 답을 구해 보세요.

풀이▶ _____

_____

_____

답▶ _____

2-1 파프리카 165개를 한 상자에 10개씩 담아 5000원씩 받고 팔려고 합니다. 파프리카를 팔아서 받을 수 있는 돈은 최대 얼마인지 구해 보세요.

(   )

- 구하려는 것: 파프리카를 팔아서 최대로 받을 수 있는 돈
- 주어진 조건: 파프리카 165개, 한 상자에 파프리카를 10개씩 담으려고 함, 한 상자에 5000원
- 해결 전략: ❶ 파프리카를 최대 몇 상자까지 팔 수 있는지 구하기
  ❷ 파프리카를 팔아서 받을 수 있는 돈은 최대 얼마인지 구하기

✎ 구하려는 것(∼∼∼)과 주어진 조건(────)에 표시해 봅니다.

2-2 양계장에서 오늘 생산한 달걀은 1087개입니다. 이 달걀을 한 판에 10개씩 들어가는 판에 넣어서 3700원씩 받고 팔려고 합니다. 달걀을 팔아서 받을 수 있는 돈은 최대 얼마인지 구해 보세요.

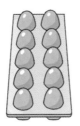

해결 전략
❶ 달걀을 최대 몇 판까지 팔 수 있는지 구하기
❷ 달걀을 팔아서 받을 수 있는 돈은 최대 얼마인지 구하기

(   )

2-3 공장에서 오늘 생산한 탁구공은 2254개입니다. 이 탁구공을 한 상자에 100개씩 넣어서 7000원씩 받고 팔려고 합니다. 오늘 만든 탁구공을 팔아서 받을 수 있는 돈은 최대 얼마인지 구해 보세요.

(   )

1 저금통을 열었을 때 나온 돈입니다. 만 원짜리 지폐로 바꿀 때 최대 몇 장까지 바꿀 수 있는지 구해 보세요.

문제 해결

(1)

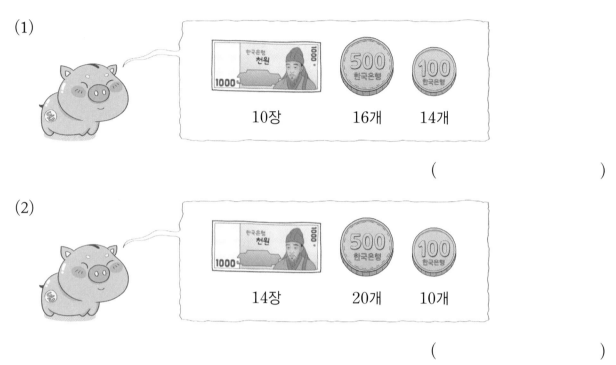

10장　　　16개　　　14개

(　　　　　　　　　)

(2)

14장　　　20개　　　10개

(　　　　　　　　　)

2 아이스크림 1개 값을 천 원짜리 지폐로 내려고 합니다. 천 원짜리 지폐를 최소 몇 장 내야 하는지 구해 보세요.

추론

1개
2200원

(　　　　　　　　　)

3

창의·융합

다음 과자 3봉지를 모두 사고 과자의 값을 천 원짜리 지폐로 내려고 합니다. 천 원짜리 지폐를 최소 몇 장 내야 하는지 구해 보세요.

1400원 2300원 3200원

(   )

4

창의·융합

수레에 배추 491포기를 한번에 모두 실으려고 합니다. 수레 한 대에 배추를 10포기씩 실을 수 있다면 수레는 최소 몇 대가 필요한지 구해 보세요.

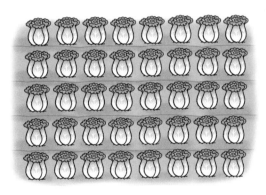

(   )

5

문제 해결

고구마 236개를 한 상자에 10개씩 담아 3000원씩 받고 팔려고 합니다. 고구마를 팔아서 받을 수 있는 돈은 최대 얼마인지 구해 보세요.

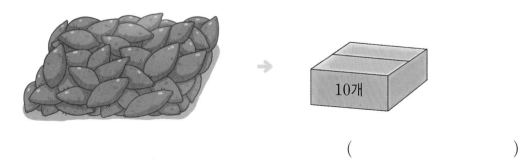

10개

(   )

1 올림, 버림하여 나타낸 수를 보고 어떤 수의 범위 구하기

예 어떤 수를 올림하여 십의 자리까지 나타낸 수가 70일 때

- 올림하여 70이 되었으므로 어떤 수는 70 이하입니다.
- 60은 올림하여 십의 자리까지 나타내어도 60입니다. → 60은 포함 안 됨

60   70

➡ 60 초과 70 이하인 수를 올림하여 십의 자리까지 나타내면 70입니다.

예 어떤 수를 버림하여 십의 자리까지 나타낸 수가 70일 때

- 버림하여 70이 되었으므로 어떤 수는 70 이상입니다.
- 80은 버림하여 십의 자리까지 나타내어도 80입니다. → 80은 포함 안 됨

70   80

➡ 70 이상 80 미만인 수를 버림하여 십의 자리까지 나타내면 70입니다.

활동 문제 수의 범위를 수직선에 알맞게 나타내어 보세요.

❶
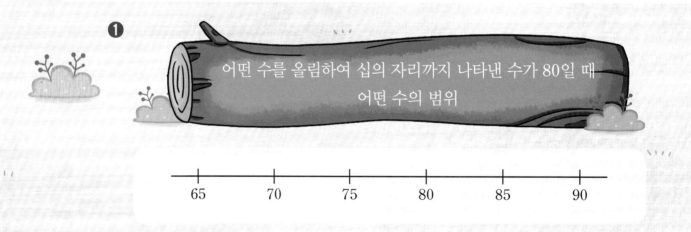
어떤 수를 올림하여 십의 자리까지 나타낸 수가 80일 때 어떤 수의 범위

65   70   75   80   85   90

❷
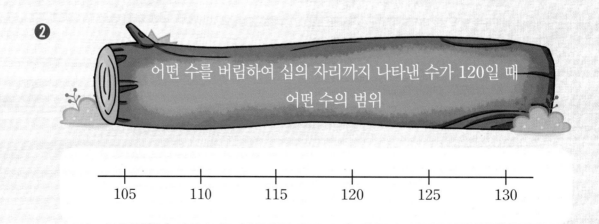
어떤 수를 버림하여 십의 자리까지 나타낸 수가 120일 때 어떤 수의 범위

105   110   115   120   125   130

▶ 정답 및 해설 5쪽

1주 4일

❷ 반올림하여 나타낸 수를 보고 어떤 수의 범위 구하기

예 어떤 수를 반올림하여 십의 자리까지 나타낸 수가 70일 때

- 반올림하여 십의 자리까지 나타내었으므로 일의 자리 숫자가 5인 경우를 알아봅니다.

┌ 65는 반올림하여 십의 자리까지 나타내면 70이므로 포함됩니다.

  ➡ 어떤 수는 65 이상입니다.

└ 75는 반올림하여 십의 자리까지 나타내면 80이므로 포함되

  지 않습니다. ➡ 어떤 수는 75 미만입니다.

65   75

➡ 65 이상 75 미만인 수를 반올림하여 십의 자리까지

   나타내면 70입니다.

반올림은 구하려는 자리의 아래 숫자가 5이거나 5보다 크면 올려 줘요.

활동 문제 수의 범위를 수직선에 알맞게 나타내어 보세요.

❶

70   75   80   85   90   95

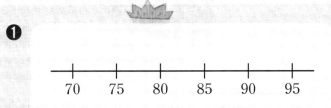

어떤 수를 반올림하여
십의 자리까지 나타낸 수가 80일 때
어떤 수가 될 수 있는 수의 범위

❷

어떤 수를 반올림하여
백의 자리까지 나타낸 수가 300일 때
어떤 수가 될 수 있는 수의 범위

150   200   250   300   350   400

❸

500   1000   1500   2000   2500   3000

어떤 수를 반올림하여
천의 자리까지 나타낸 수가 2000일 때
어떤 수가 될 수 있는 수의 범위

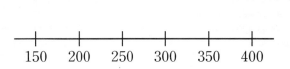

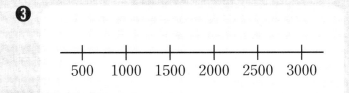

1-1 어떤 수를 반올림하여 백의 자리까지 나타내었더니 2700이 되었습니다. 보기 에 있는 단어를 사용하여 어떤 수가 될 수 있는 수의 범위를 구해 보세요.

> 보기
>
> 이상, 이하, 초과, 미만

( )

● 반올림하여 백의 자리까지 나타내었을 때 2700이 되었으므로 십의 자리 숫자가 5인 수를 기준으로 범위를 알아봅니다.

1-2 어떤 수를 반올림하여 천의 자리까지 나타내었더니 4000이 되었습니다. 다음 단어를 사용하여 어떤 수가 될 수 있는 수의 범위를 나타내어 보세요.

> ★
> 이상　이하
> 초과　미만

(1) 백의 자리 숫자가 5인 수 중에서 반올림하여 천의 자리까지 나타내었을 때 4000이 되는 가장 작은 수는 무엇인가요?

( )

(2) 4500은 반올림하여 천의 자리까지 나타내었을 때 얼마가 되나요?

( )

(3) 어떤 수가 될 수 있는 수의 범위를 구해 보세요.

( )

1-3 어떤 수를 반올림하여 천의 자리까지 나타내었더니 5000이 되었습니다. 풀이 과정을 쓰고 어떤 수가 될 수 있는 수의 범위를 구해 보세요.

풀이 _____

_____

_____

_____

답 _____

2-1 다음 조건 을 만족하는 자연수를 모두 구해 보세요.

조건

• 올림하여 십의 자리까지 나타내면 130입니다.
• 125 초과 142 미만입니다.
• 홀수입니다.

(   )

• 구하려는 것: 조건을 만족하는 자연수
• 주어진 조건: 자연수, 올림하여 십의 자리까지 나타내면 130, 125 초과 142 미만, 홀수
• 해결 전략: ❶ 올림하여 십의 자리까지 나타내면 130이 되는 수의 범위 구하기
　　　　　 ❷ 위 ❶의 수의 범위와 125 초과 142 미만인 수의 범위 중 공통인 범위 구하기
　　　　　 ❸ 위 ❷에서 구한 범위에서 홀수 구하기

✎ 구하려는 것(〰〰)과 주어진 조건(━━)에 표시해 봅니다.

2-2 다음 조건 을 만족하는 자연수를 구해 보세요.

조건

• 버림하여 십의 자리까지 나타내면 260입니다.
• 267 초과 295 이하입니다.
• 홀수입니다.

해결 전략

❶ 두 수의 범위에서 공통인 범위 구하기
❷ 공통인 범위에서 홀수 구하기

(   )

2-3 다음 조건 을 만족하는 자연수를 구해 보세요.

조건

• 올림하여 십의 자리까지 나타내면 510입니다.
• 488 이상 504 미만입니다.
• 짝수입니다.

(   )

1 모자에 넣은 수를 어림하여 십의 자리까지 나타내었더니 오른쪽 수가 나왔습니다. **보기** 에 있는
추론 단어를 사용하여 모자에 넣은 수가 될 수 있는 수의 범위를 구해 보세요.

> **보기**
>
> 이상, 이하, 초과, 미만

(1)

(   )

(2)

(   )

(3)

(   )

2 수의 범위를 수직선에 알맞게 나타내어 보세요.
추론

어떤 수를 반올림하여
천의 자리까지 나타낸 수가 6000일 때
어떤 수가 될 수 있는 수의 범위

▶ 정답 및 해설 6쪽

3
문제 해결

다음 조건 을 만족하는 자연수를 구해 보세요.

조건

• 버림하여 십의 자리까지 나타내면 390입니다.
• 398 이상 403 미만입니다.
• 짝수입니다.

(   )

4
추론

다음 네 자리 수를 반올림하여 백의 자리까지 나타내었더니 2600이 되었습니다. 다음 수가 될 수 있는 수 중에서 가장 큰 수와 가장 작은 수를 구해 보세요.

가장 작은 수 (   )
가장 큰 수 (   )

5
창의 · 융합

다음을 읽고 ☀이 될 수 있는 수 중에서 가장 큰 네 자리 수를 구해 보세요.

(   )

1 곱이 가장 큰 (자연수) × (분수) 만들기

- 곱이 가장 큰 (자연수) × (진분수) 만들기

  가장 큰 수를 자연수 부분에 놓고, 남은 수로 가장 큰 진분수를 만듭니다.

  예 1, 2, 3 으로 곱이 가장 큰 (자연수) × (진분수) 만들기

  → 3이 가장 큰 수이므로 자연수 부분에 놓고 1, 2로 진분수를 만듭니다.

  → 곱셈식: $3 \times \dfrac{1}{2}$

- 곱이 가장 큰 (자연수) × (대분수) 만들기

  가장 큰 수를 자연수 부분에 놓고, 남은 수로 가장 큰 대분수를 만듭니다.

  예 1, 2, 3, 4 로 곱이 가장 큰 (자연수) × (대분수) 만들기

  → 4가 가장 큰 수이므로 자연수 부분에 놓고 1, 2, 3으로 가장 큰 대분수를 만듭니다.

  → 곱셈식: $4 \times 3\dfrac{1}{2}$

활동 문제 블록에 있는 수를 한 번씩만 써서 곱이 가장 큰 (자연수) × (진분수)를 만들어 보세요.

❶

    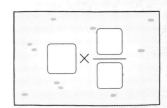

❷

    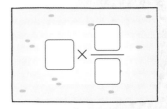

❸

    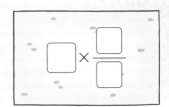

② 곱이 가장 작은 (자연수)×(분수) 만들기

• 곱이 가장 작은 (자연수)×(진분수) 만들기

가장 큰 수를 분모에 놓고, 남은 수를 자연수 부분과 분자에 놓습니다.

예 ❶, ❷, ❸으로 곱이 가장 작은 (자연수)×(진분수) 만들기

→ 3이 가장 큰 수이므로 분모에 놓고 1, 2를 자연수 부분과 분자에 놓습니다.

→ 곱셈식: $1 \times \dfrac{2}{3}$ 또는 $2 \times \dfrac{1}{3}$

• 곱이 가장 작은 (자연수)×(대분수) 만들기

가장 작은 수를 자연수 부분에 놓고, 남은 수로 가장 작은 대분수를 만듭니다.

예 ❶, ❷, ❸, ❹로 곱이 가장 작은 (자연수)×(대분수) 만들기

→ 1이 가장 작은 수이므로 자연수 부분에 놓고 2, 3, 4로 가장 작은 대분수를 만듭니다.

→ 곱셈식: $1 \times 2\dfrac{3}{4}$

활동 문제 블록에 있는 수를 한 번씩만 써서 곱이 가장 작은 (자연수)×(대분수)를 만들어 보세요.

❶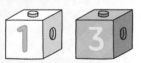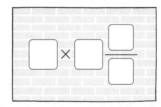

❷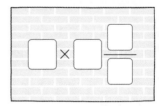

❸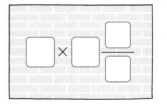

1-1 주어진 수 카드를 한 번씩만 사용하여 곱이 가장 큰 (자연수)×(대분수)를 만들었을 때, 그 곱을 구해 보세요.

$$\boxed{1}, \boxed{2}, \boxed{4}, \boxed{8}$$

(   )

❶ 가장 큰 수를 자연수 부분에 놓습니다.
❷ 남은 3장의 수 카드로 가장 큰 대분수를 만듭니다.

1-2 주어진 수 카드를 한 번씩만 사용하여 곱이 가장 큰 (자연수)×(대분수)를 만들었을 때, 그 곱을 구해 보세요.

$$\boxed{3}, \boxed{5}, \boxed{8}, \boxed{9}$$

(1) 자연수 부분에 놓아야 하는 수를 구해 보세요.

(   )

(2) (1)에서 구한 수를 제외한 나머지 수 카드로 가장 큰 대분수를 만들어 보세요.

(   )

(3) 곱이 가장 큰 (자연수)×(대분수)를 만들었을 때의 곱을 구해 보세요.

(   )

1-3 주어진 수 카드 $\boxed{2}$, $\boxed{3}$, $\boxed{4}$, $\boxed{7}$ 을 한 번씩만 사용하여 곱이 가장 작은 (자연수)×(대분수)를 만들었을 때, 그 곱을 구해 보세요.

(1) 곱이 가장 작은 (자연수)×(대분수)를 만들어 보세요.

식 ＿＿＿＿＿＿＿＿＿＿＿＿＿＿

(2) (1)에서 만든 곱셈식의 곱을 구해 보세요.

(   )

2-1 민기와 지연이가 공에 적힌 숫자를 한 번씩만 사용하여 곱이 가장 큰 (자연수)×(진분수)를 만들었습니다. 민기와 지연이가 만든 식의 계산 결과를 각각 구해 보세요.

민기	지연
④, ①, ⑥	③, ⑨, ⑤

민기 (   )

지연 (   )

- 구하려는 것: 민기와 지연이가 만든 식의 계산 결과
- 주어진 조건: 민기와 지연이가 가지고 있는 공, 공에 적힌 숫자를 한 번씩만 사용,
  곱이 가장 큰 (자연수)×(진분수)를 만듦.
- 해결 전략: ❶ 숫자를 한 번씩만 사용하여 곱이 가장 큰 (자연수)×(진분수)를 만들기
  ❷ ❶에서 구한 식 계산하기

✎ 구하려는 것(〜〜)과 주어진 조건(───)에 표시해 봅니다.

2-2 철수와 은혜가 공에 적힌 숫자를 한 번씩만 사용하여 곱이 가장 작은 (자연수)×(진분수)를 만들었습니다. 철수와 은혜가 만든 식의 계산 결과를 각각 구해 보세요.

해결 전략
❶ 숫자를 한 번씩 사용해 곱이 가장 작은 (자연수)×(진분수)를 만들기
❷ ❶에서 구한 식 계산하기

철수	은혜
⑧, ②, ③	⑨, ⑤, ⑦

철수 (   )

은혜 (   )

2-3 은우는 3, 7, 8을 한 번씩만 사용하여 곱이 가장 큰 (자연수)×(진분수)를 만들고 승대는 1, 6, 9를 한 번씩만 사용하여 곱이 가장 큰 (자연수)×(진분수)를 만들었을 때 곱을 각각 구해 보세요.

은우 (   )

승대 (   )

1
추론

영주와 소희가 공에 적힌 숫자를 한 번씩만 사용하여 곱이 가장 큰 (자연수)×(진분수)를 만들려고 합니다. 더 큰 곱을 만든 사람의 이름을 써 보세요.

영주	소희
4, 5, 6	2, 3, 7

(   )

2
코딩

1, 4, 5, 8을 입력했을 때 출력되는 값을 구해 보세요.

숫자 4 개 입력하기 ○

4 개의 숫자를 1 번씩만 사용하여
곱이 가장 큰 (자연수)×(대분수)만들기

(자연수)×(대분수)의 곱 구하기

구한 곱과 $3\frac{2}{3}$ 곱하기

값 출력하기 ↰

(   )

3
문제 해결

지희가 주어진 수 카드를 한 번씩만 사용하여 곱이 가장 큰 (자연수)×(대분수)와 곱이 가장 작은 (자연수)×(대분수)를 만들고 계산했을 때 두 곱의 차를 구해 보세요.

(   )

4
문제 해결

수 카드 4장 중에서 3장을 골라 한 번씩만 사용하여 곱이 가장 큰 (자연수)×(진분수)를 만들었을 때, 그 곱을 구해 보세요.

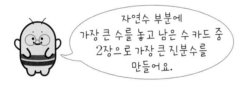

자연수 부분에 가장 큰 수를 놓고 남은 수 카드 중 2장으로 가장 큰 진분수를 만들어요.

(   )

5
창의·융합

그림과 같이 혜지가 $\frac{7}{9}$ m인 색 테이프 12장을 $\frac{2}{7}$ m씩 겹치게 이어 붙였습니다. 이어 붙인 색 테이프의 전체 길이를 구해 보세요.

(   )

1 왕자가 공주를 구하려 성으로 가고 있습니다. 팻말을 보고 알맞은 길을 찾아보세요. 문제 해결

2 공에 써 있는 숫자를 보고 반올림하여 십의 자리까지 나타내었을 때 같은 수가 되는 공끼리 선으로 이어 보세요. 추론

3 수를 어림한 방법을 찾아 빈 곳에 알맞은 수를 써넣으세요. 추론

1

백의 자리까지		십의 자리까지	
6331	6400	7068	7070
2419	2500	4121	4130
8786	8800	2816	
5555		9423	

2

백의 자리까지		십의 자리까지	
6331	6300	7068	7060
2419	2400	4121	4120
8786	8700	2816	
5555		9423	

4 우주에서 몸무게를 재면 지구에서 잴 때와는 몸무게가 다르다고 합니다. 물음에 답하세요.

1 화성에서의 몸무게는 지구에서의 몸무게의 $\dfrac{3}{8}$배입니다. 지구에서의 몸무게가 80 kg인 사람이 화성에서 몸무게를 재면 몇 kg인지 구해 보세요.

( )

2 달에서의 몸무게는 지구에서의 몸무게의 $\dfrac{1}{6}$배입니다. 지구에서의 몸무게가 80 kg인 사람이 달에서 몸무게를 재면 몇 kg인지 구해 보세요.

( )

3 지구에서의 몸무게가 80 kg인 사람이 화성에서 잰 몸무게와 달에서 잰 몸무게의 차는 몇 kg인지 구해 보세요.

( )

5 주희네 가족은 일기 예보를 보고 있습니다. 초미세 먼지 농도 기준표를 보고 현재 초미세 먼지는 좋음, 보통, 나쁨, 매우 나쁨 중 무엇인지 구해 보세요. 창의·융합

구분	좋음	보통	나쁨	매우 나쁨
초미세 먼지 농도 (마이크로그램)	15 이하	16 이상 35 이하	36 이상 75 이하	76 이상
행동 요령	자유롭게 활동해요.	행동에 제약받을 필요가 없어요.	무리한 실외 활동을 자제해요.	되도록 실외 활동을 자제해요.

(출처: 미세 먼지 환경 기준, 환경부, 2018.)

(   )

6 72를 입력했을 때 황금 칸에 도착할 수 있도록 화살표를 따라 이동해 보세요. 코딩

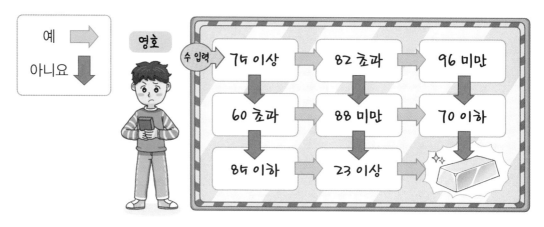

7 우리나라의 주요 광역시별 인구수를 나타낸 표입니다. 물음에 답하세요. 추론 창의·융합

광역시별 인구수

도시	인구수(명)
부산	3372692
대구	2429940
인천	2952237
광주	1489730
대전	1498839
울산	1143692

(출처: 인구 총조사, 국가통계포털, 2019.)

① 위 표를 보고 광역시별 인구수를 반올림하여 십만의 자리까지 나타내어 보세요.

광역시별 인구수

도시	인구수(명)	도시	인구수(명)
부산		광주	
대구		대전	
인천		울산	

② 위 표를 보고 광역시별 인구수를 반올림하여 만의 자리까지 나타내어 보세요.

광역시별 인구수

도시	인구수(명)	도시	인구수(명)
부산		광주	
대구		대전	
인천		울산	

1 다음 정삼각형의 둘레의 길이를 cm 단위로 나타내면 35 초과인 수 중에서 가장 작은 자연 수입니다. 정삼각형의 한 변의 길이는 몇 cm인지 구해 보세요.

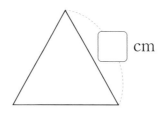

(   )

2 70 초과 75 이하인 자연수 중에서 가장 큰 수를 ㉮, 15 이상 20 미만인 자연수 중에서 가장 작은 수를 ㉯라 할 때, ㉮÷㉯의 몫을 구해 보세요.

(   )

3 수직선에 나타낸 수의 범위에 포함되는 자연수는 11개입니다. ㉠은 얼마인지 구해 보세요.

(단, ㉠은 자연수입니다.)

(   )

4 32580원을 1000원짜리 지폐로 바꾼다면 최대 얼마까지 바꿀 수 있는지 구해 보세요.

(   )

5 217명이 모두 승합차를 타려고 합니다. 승합차 한 대에 최대 10명까지 탈 수 있다면 승합차는 최소 몇 대가 필요한지 구해 보세요.

( )

6 다음 조건 을 만족하는 자연수를 모두 구해 보세요.

> 조건
> • 반올림하여 십의 자리까지 나타내면 100입니다.
> • 99 초과 110 미만입니다.
> • 홀수입니다.

( )

[7~8] 수 카드를 보고 물음에 답하세요.

2 , 3 , 5 , 9

7 주어진 수 카드를 한 번씩만 사용하여 곱이 가장 큰 (자연수)×(대분수)를 만들었을 때, 그 곱을 구해 보세요.

( )

8 주어진 수 카드를 한 번씩만 사용하여 곱이 가장 작은 (자연수)×(대분수)를 만들었을 때, 그 곱을 구해 보세요.

( )

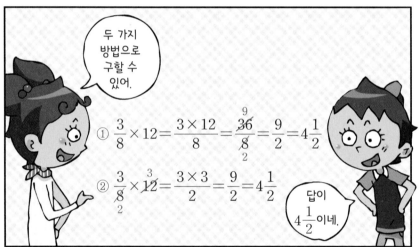

만화로 미리 보기

진분수의 곱셈은 분모는 분모끼리, 분자는 분자끼리 곱합니다.

대분수가 있는 곱셈은 가분수로 나타낸 후 계산합니다!

- 진분수의 곱셈

$$\frac{2}{5} \times \frac{3}{7} = \frac{2 \times 3}{5 \times 7} = \frac{6}{35}$$

- 대분수의 곱셈

$$1\frac{1}{3} \times 1\frac{2}{5} = \frac{4}{3} \times \frac{7}{5} = \frac{4 \times 7}{3 \times 5} = \frac{28}{15} = 1\frac{13}{15}$$

가분수로 나타내기

확인 문제

1-1 계산해 보세요.

(1) $\frac{1}{2} \times \frac{1}{3}$

(2) $\frac{2}{3} \times \frac{3}{10}$

한번 더

1-2 계산해 보세요.

(1) $\frac{1}{3} \times \frac{1}{4}$

(2) $\frac{2}{5} \times \frac{5}{8}$

2-1 보기 와 같은 방법으로 계산해 보세요.

보기

$$1\frac{1}{2} \times 2\frac{1}{4} = \left(1\frac{1}{2} \times 2\right) + \left(1\frac{1}{2} \times \frac{1}{4}\right)$$
$$= \frac{3}{2} \times \overset{1}{\cancel{2}} + \frac{3}{2} \times \frac{1}{4}$$
$$= 3 + \frac{3}{8} = 3\frac{3}{8}$$

$2\frac{1}{2} \times 1\frac{1}{5}$

2-2 보기 와 같은 방법으로 계산해 보세요.

보기

$$1\frac{1}{2} \times 2\frac{1}{4} = \frac{3}{2} \times \frac{9}{4} = \frac{27}{8} = 3\frac{3}{8}$$

(1) $2\frac{1}{3} \times 2\frac{1}{2}$

(2) $3\frac{2}{5} \times 4\frac{1}{3}$

합동: 포개었을 때 완전히 겹치는 두 도형

선대칭도형

점대칭도형

확인 문제

3-1 합동인 두 도형을 찾아 기호를 써 보세요.

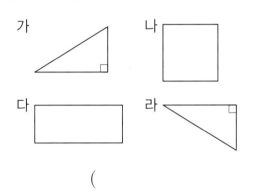

가 나

다 라

( )

한번 더

3-2 합동인 두 도형을 찾아 기호를 써 보세요.

가 나

다 라

( )

4-1 도형을 보고 물음에 답하세요.

가 나 다

(1) 선대칭도형을 찾아 기호를 써 보세요.

( )

(2) 점대칭도형을 찾아 기호를 써 보세요.

( )

4-2 도형을 보고 물음에 답하세요.

가 나 다

(1) 선대칭도형을 찾아 기호를 써 보세요.

( )

(2) 점대칭도형을 찾아 기호를 써 보세요.

( )

1 **부분의 부분 구하기**(1)

(진분수) × (진분수)를 계산해 전체의 몇 분의 몇인지 구합니다.

예 우리 반 학생의 $\frac{1}{2}$은 남학생이고 남학생 중의 $\frac{1}{4}$은 안경을 썼을 때 우리 반에서 남학

생이면서 안경을 쓴 학생은 전체의 몇 분의 몇인지 구하기

남학생이면서 안경을 쓴 학생은 전체의 $\frac{1}{2} \times \frac{1}{4} = \frac{1}{8}$입니다.

활동 문제 남학생과 남학생이면서 안경을 쓴 학생은 각각 전체의 몇 분의 몇인지 색칠해 보고
□ 안에 알맞은 수를 써넣으세요.

❶ 우리 반 학생의 $\frac{2}{5}$는 남학생입니다. 남학생 중의 $\frac{1}{3}$은 안경을 썼습니다.

진호

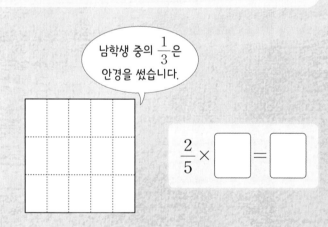

$$\frac{2}{5} \times \boxed{} = \boxed{}$$

❷ 우리 반 학생의 $\frac{2}{3}$는 남학생입니다. 남학생 중의 $\frac{2}{7}$는 안경을 썼습니다.

지훈

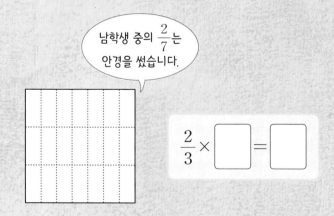

$$\frac{2}{3} \times \boxed{} = \boxed{}$$

❷ 부분의 부분 구하기(2)

예 우리 반 학생의 $\frac{2}{3}$ 는 남학생이고 여학생 중의 $\frac{1}{4}$ 은 모자를 썼을 때 우리 반에서 여학

생이면서 모자를 쓴 학생은 전체의 몇 분의 몇인지 구하기

 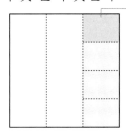

→ 여학생이면서 모자를 쓴 학생

여학생은 전체 학생의 $1 - \frac{2}{3} = \frac{1}{3}$ 입니다.

여학생이면서 모자를 쓴 학생은 전체의 $\frac{1}{3} \times \frac{1}{4} = \frac{1}{12}$ 입니다.

활동 문제 여학생과 여학생이면서 모자를 쓴 학생은 각각 전체의 몇 분의 몇인지 색칠해 보고 □ 안에 알맞은 수를 써넣으세요.

❶

우리 반 학생의 $\frac{2}{5}$ 는 남학생입니다.

은영

여학생 중의 $\frac{1}{4}$ 은 모자를 썼습니다.

 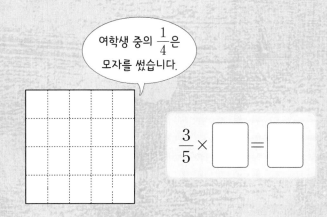

$\frac{3}{5} \times \boxed{} = \boxed{}$

❷

우리 반 학생의 $\frac{2}{3}$ 는 남학생입니다.

연지

여학생 중의 $\frac{2}{7}$ 는 모자를 썼습니다.

 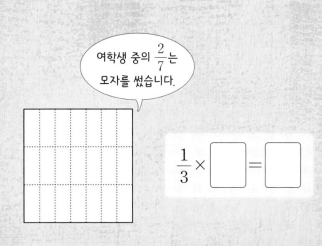

$\frac{1}{3} \times \boxed{} = \boxed{}$

1-1 컵에 물이 가득 들어있었습니다. 어제는 전체의 $\frac{2}{3}$를 마시고 오늘은 나머지의 $\frac{1}{4}$을 마셨다면 오늘 마신 물의 양은 전체의 몇 분의 몇인지 구해 보세요.

(   )

❶ 어제 마시고 남은 물의 양은 전체의 $1 - \frac{2}{3}$입니다.

❷ 오늘 마신 물의 양은 (어제 마시고 남은 물의 양) $\times \frac{1}{4}$입니다.

1-2 병에 물이 가득 들어있었습니다. 어제는 전체의 $\frac{3}{5}$을 마시고 오늘은 나머지의 $\frac{5}{6}$를 마셨다면 오늘 마신 물의 양은 전체의 몇 분의 몇인지 구해 보세요.

(1) 어제 마시고 남은 물은 전체의 몇 분의 몇인지 구해 보세요.

(   )

(2) 오늘 마신 물의 양은 전체의 몇 분의 몇인지 구해 보세요.

(   )

1-3 여희는 가지고 있던 돈의 $\frac{4}{7}$는 간식을 사고 남은 돈의 $\frac{3}{8}$은 저금했습니다. 저금한 돈은 처음 가지고 있던 돈의 몇 분의 몇인지 구해 보세요.

(1) 간식을 사고 남은 돈은 전체의 몇 분의 몇인지 구해 보세요.

(   )

(2) 저금한 돈은 처음 가지고 있던 돈의 몇 분의 몇인지 구해 보세요.

(   )

▶ 정답 및 해설 10쪽

2-1 사탕 가게에 있는 사탕의 $\frac{7}{10}$은 과일 맛이고, 과일 맛 사탕 중에서 $\frac{2}{5}$는 딸기 맛이라고 합니다. 사탕 가게에 있는 사탕이 모두 1000개일 때 딸기 맛 사탕은 몇 개 있는지 구해 보세요.

(   )

- 구하려는 것: 사탕 가게에 있는 딸기 맛 사탕의 수

- 주어진 조건: 전체의 $\frac{7}{10}$은 과일 맛, 과일 맛 사탕 중에서 $\frac{2}{5}$는 딸기 맛, 사탕 가게에 있는 전체 사탕의 수

- 해결 전략: ❶ 딸기 맛 사탕이 전체의 몇 분의 몇인지 구하기

       ❷ 1000과 ❶에서 구한 분수를 곱해 딸기 맛 사탕의 수 구하기

✎ 구하려는 것(﹏﹏)과 주어진 조건(———)에 표시해 봅니다.

2-2 아이스크림 가게에 있는 아이스크림의 $\frac{5}{8}$는 초콜릿 맛이고, 초콜릿 맛 아이스크림 중에서 $\frac{3}{10}$은 콘이라고 합니다. 아이스크림 가게에 있는 아이스크림이 모두 800개일 때 초콜릿 맛 콘 아이스크림은 몇 개 있는지 구해 보세요.

▶ **해결 전략**
❶ 초콜릿 맛 아이스크림이 전체의 몇 분의 몇인지 구하기
❷ 800과 ❶에서 구한 분수를 곱해 초콜릿 맛 콘 아이스크림의 수 구하기

(   )

2-3 준우는 가지고 있던 돈의 $\frac{1}{2}$로 빵을 사고, 남은 돈의 $\frac{4}{5}$로 우유를 샀습니다. 준우가 처음 가지고 있던 돈이 2000원일 때 우유를 사는 데 쓴 돈은 얼마인지 구해 보세요.

(   )

1 추론

□ 안에 들어갈 수 있는 자연수 중에서 가장 큰 수를 구해 보세요.

$$\frac{2}{9} \times \frac{1}{8} < \frac{1}{5} \times \frac{1}{\square}$$

(   )

2 코딩

시작에 $\frac{3}{4}$ 을 넣었을 때 나오는 수를 빈 곳에 써넣으세요.

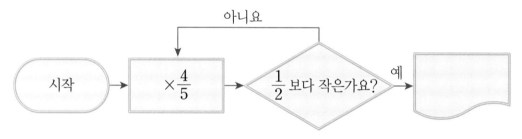

3 창의 · 융합

태우는 300쪽인 책을 사서 어제는 $\frac{2}{5}$ 를 읽었고 오늘은 나머지의 $\frac{4}{9}$ 를 읽었습니다. 오늘까지 읽고 남은 쪽수는 모두 몇 쪽인지 구해 보세요.

(   )

▶정답 및 해설 11쪽

4
창의·융합

어느 어린이 도서관의 $\frac{7}{20}$ 은 동화책이고, 동화책이 아닌 책 중에서 $\frac{3}{25}$ 은 위인전이라고 합니다. 어린이 도서관에 책이 500권 있을 때 동화책과 위인전은 모두 몇 권 있는지 구해보세요.

(   )

5
창의·융합

수진이네 반 학생의 $\frac{4}{9}$ 는 남학생입니다. 수진이네 반에서 안경을 쓴 학생은 남학생 중에서 $\frac{1}{3}$, 여학생 중에서 $\frac{1}{5}$ 입니다. 안경을 쓴 학생 수를 비교하여 옳은 말을 하는 사람에 ○표 하세요.

(   ) (   )

6
문제 해결

민지는 처음 가지고 있던 돈의 $\frac{3}{5}$ 으로 과자를 사고, 과자를 사고 남은 돈의 $\frac{5}{6}$ 로 음료수를 샀습니다. 음료수까지 사고 남은 돈이 600원일 때 민지가 처음 가지고 있던 돈은 얼마인지 구해 보세요.

(   )

1 색칠한 부분의 넓이 구하기

색칠한 부분이 전체의 얼마만큼 되는지 구하여 도형의 넓이에 곱합니다.

예 가로 $4\frac{1}{2}$ cm, 세로 $3\frac{1}{2}$ cm인 직사각형을 4등분한 것 중의 1개를 색칠했을 때 색칠한 부분의 넓이 구하기

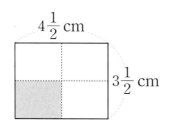

4등분한 것 중의 1개는 $\frac{1}{4}$입니다.

① (직사각형의 넓이)$=4\frac{1}{2} \times 3\frac{1}{2} = \frac{9}{2} \times \frac{7}{2} = \frac{63}{4} = 15\frac{3}{4}$ (cm²)

② (색칠한 부분의 넓이)$=15\frac{3}{4} \times \frac{1}{4} = \frac{63}{4} \times \frac{1}{4} = \frac{63}{16} = 3\frac{15}{16}$ (cm²)

활동 문제 설명에 맞게 직사각형을 색칠해 보고 색칠한 부분의 넓이를 구해 보세요.

❶

5등분한 것 중의 2개입니다.

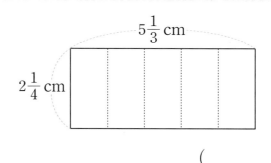

$5\frac{1}{3}$ cm

$2\frac{1}{4}$ cm

( )

❷

4등분한 것 중의 3개입니다.

$6\frac{2}{5}$ cm

$3\frac{3}{4}$ cm

( )

2 도형을 늘이거나 줄였을 때 넓이 구하기

변의 길이를 늘이거나 줄인 만큼을 곱해 도형의 넓이를 구합니다.

예 직사각형의 가로를 $1\frac{1}{3}$배 늘여서 만든 새로운 직사각형의 넓이 구하기

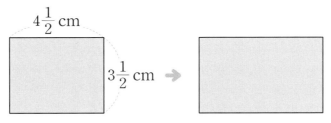

$4\frac{1}{2}$ cm $3\frac{1}{2}$ cm ➡

① (새로운 직사각형의 가로)$=4\frac{1}{2}\times1\frac{1}{3}=\overset{3}{\cancel{\frac{9}{2}}}\times\overset{2}{\cancel{\frac{4}{3}}}=6$ (cm)
        $\underset{1}{}$ $\underset{1}{}$

② (새로운 직사각형의 넓이)$=6\times3\frac{1}{2}=\overset{3}{\cancel{6}}\times\frac{7}{\cancel{2}}=21$ (cm²)
                $\underset{1}{}$

활동 문제 ❶ 직사각형의 가로를 $1\frac{1}{2}$배 늘여 새로운 직사각형을 만들었습니다. ☐ 안에 알맞은 수를 써넣으세요.

$2\frac{2}{3}$ cm ➡ $2\frac{2}{3}$ cm

$3\frac{1}{2}$ cm   ☐ cm

직사각형의 넓이:
☐ $\times 2\frac{2}{3}=$ ☐ (cm²)

활동 문제 ❷ 직사각형의 가로를 $\frac{3}{5}$배 줄여 새로운 직사각형을 만들었습니다. ☐ 안에 알맞은 수를 써넣으세요.

$1\frac{3}{4}$ cm ➡ $1\frac{3}{4}$ cm

$2\frac{7}{9}$ cm   ☐ cm

직사각형의 넓이:
☐ $\times 1\frac{3}{4}=$ ☐ (cm²)

1-1 직사각형을 똑같은 크기로 나누어 다음과 같이 색칠했습니다. 색칠한 부분의 넓이를 구해 보세요.

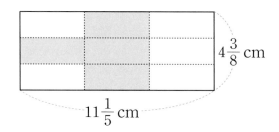

$11\frac{1}{5}$ cm

$4\frac{3}{8}$ cm

(   )

- 색칠한 부분의 넓이는 직사각형을 9등분한 것 중의 4개와 같습니다.
- 직사각형의 넓이에 $\frac{4}{9}$를 곱하여 색칠한 부분의 넓이를 구합니다.

1-2 직사각형을 똑같은 크기로 나누어 다음과 같이 색칠했습니다. 색칠한 부분의 넓이를 구해 보세요.

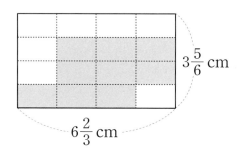

$6\frac{2}{3}$ cm

$3\frac{5}{6}$ cm

(1) 색칠한 부분은 전체 직사각형의 넓이의 몇 분의 몇인지 구해 보세요.

(   )

(2) 전체 직사각형의 넓이를 구해 보세요.

(   )

(3) 색칠한 부분의 넓이를 구해 보세요.

(   )

2-1 지희는 한 변의 길이가 $4\frac{1}{2}$ cm인 정사각형에서 가로를 $2\frac{1}{2}$배로 늘이고, 세로를 $1\frac{2}{3}$배로 늘였습니다. 새로 만든 직사각형의 넓이를 구해 보세요.

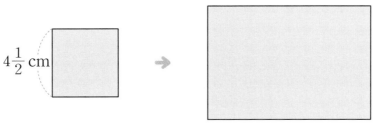

$4\frac{1}{2}$ cm

(　　　　　　　　)

- 구하려는 것: 새로 만든 직사각형의 넓이
- 주어진 조건: 한 변의 길이가 $4\frac{1}{2}$ cm인 정사각형의 가로를 $2\frac{1}{2}$배, 세로를 $1\frac{2}{3}$배로 늘임
- 해결 전략: ❶ 새로 만든 직사각형의 가로와 세로를 각각 구하기
　　　　　　❷ 새로 만든 직사각형의 넓이 구하기

✎ 구하려는 것(〜〜)과 주어진 조건(———)에 표시해 봅니다.

2-2 은주는 가로가 $3\frac{5}{9}$ cm, 세로가 $3\frac{3}{8}$ cm인 직사각형에서 가로를 $1\frac{3}{4}$배로 늘이고, 세로를 $1\frac{4}{9}$배로 늘였습니다. 새로 만든 직사각형의 넓이를 구해 보세요.

> **해결 전략**
> ❶ 새로 만든 직사각형의 가로와 세로를 각각 구하기
> ❷ 새로 만든 직사각형의 넓이 구하기

(　　　　　　　　)

2-3 가로가 $2\frac{1}{4}$ cm, 세로가 $2\frac{2}{3}$ cm인 직사각형에서 가로를 $1\frac{1}{3}$배로 늘이고, 세로를 $\frac{1}{2}$배로 줄였습니다. 새로 만든 직사각형의 넓이를 구해 보세요.

(　　　　　　　　)

1 ☐ 안에 들어갈 수 있는 가장 작은 자연수를 구해 보세요.

추론

$$4\frac{8}{9} \times 8\frac{6}{11} < \square$$

( )

2 칠교판은 한 변의 길이가 $12\frac{4}{5}$ cm인 정사각형 모양입니다. 물음에 답하세요.

창의 · 융합

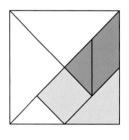

색칠한 부분이 가장 작은 삼각형의 몇 배와 같은지 알아봐요.

(1) 가장 작은 삼각형 1개의 넓이는 칠교판 넓이의 몇 분의 몇일까요?

( )

(2) 칠교판의 넓이를 구해 보세요.

( )

(3) 초록색으로 색칠한 부분의 넓이를 구해 보세요.

( )

(4) 노란색으로 색칠한 부분의 넓이를 구해 보세요.

( )

▶정답 및 해설 13쪽

3 추론

직사각형의 각 변의 가운데 점을 이어 마름모를 그리고 마름모의 각 변의 가운데 점을 다시 이어 직사각형을 그린 후에 색칠했습니다. 색칠한 직사각형의 넓이를 구해 보세요.

보조선을 그으면 마름모의 넓이는 가장 큰 직사각형의 $\frac{1}{2}$임을 알 수 있어요.

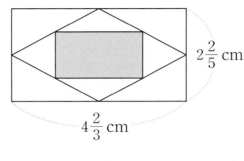

$2\frac{2}{5}$ cm

$4\frac{2}{3}$ cm

(   )

4 문제 해결

한 변의 길이가 $6\frac{1}{4}$ cm인 정사각형에서 가로를 $1\frac{3}{5}$배로 늘이고, 세로를 $\frac{4}{7}$배로 줄였습니다. 정사각형과 새로 만든 직사각형 중 어느 도형이 몇 cm^2 더 넓은지 차례로 구해 보세요.

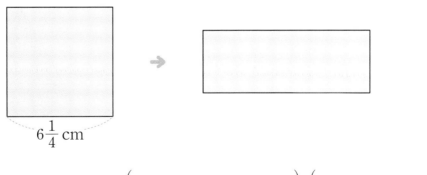

$6\frac{1}{4}$ cm

(   ), (   )

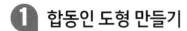

1 합동인 도형 만들기

색종이를 모양과 크기가 같은 도형 여러 개로 나누어 합동인 도형을 만듭니다.

예 정사각형 모양 색종이를 잘라 합동인 도형 만들기

합동인 삼각형 2개 만들기	합동인 사각형 2개 만들기
합동인 삼각형 4개 만들기	합동인 사각형 4개 만들기

서로 합동인 도형은 모양과 크기가 같아서 포개었을 때 완전히 겹쳐져요.

합동인 도형 4개를 만드는 방법은 등이 있어요.

활동 문제 정삼각형 모양의 색종이를 잘라서 서로 합동인 도형을 만들려고 합니다. 선을 그어 알맞게 나누어 보세요.

❶ 합동인 삼각형 2개 만들기

❷ 합동인 삼각형 3개 만들기

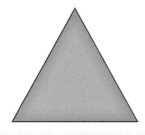

❸ 합동인 삼각형 4개 만들기

❹ 합동인 삼각형 6개 만들기

2 종이접기에서 합동인 도형 찾기

종이를 접었을 때 접힌 부분과 접기 전 부분은 서로 합동입니다.

합동인 도형의 성질을 이용하여 각의 크기를 구합니다.

합동인 두 도형은 [대응변의 길이가 서로 같습니다.
대응각의 크기가 서로 같습니다.

예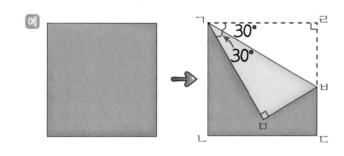

삼각형 ㄱㅁㅂ과 삼각형 ㄱㄹㅂ은 서로 합동입니다.

각 ㅁㄱㅂ의 크기는 대응각인 각 ㄹㄱㅂ의 크기와 같습니다.

➡ (각 ㅁㄱㅂ)=(각 ㄹㄱㅂ)=30°

활동 문제 직사각형 모양의 종이를 다음과 같이 접었습니다. ☐ 안에 알맞은 수를 써넣으세요.

❶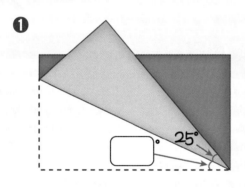

❷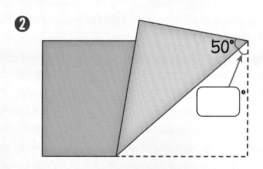

❸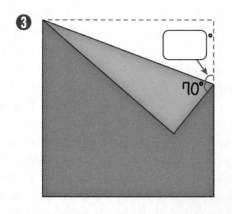

❹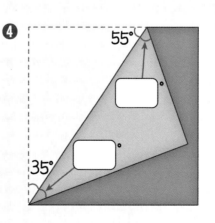

1-1 다음과 같이 직사각형 ㄱㄴㄷㄹ을 합동인 사각형 2개로 나누었습니다. 각 ㅁㅂㄷ의 크기는 몇 도인지 구해 보세요.

( )

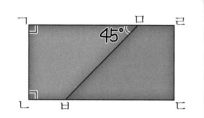

❶ 합동인 두 사각형을 찾습니다. ➡ 사각형 ㄱㄴㅂㅁ과 사각형 ㄷㄹㅁㅂ이 서로 합동입니다.
❷ 각 ㅁㅂㄷ의 대응각을 찾습니다.
❸ 대응각의 크기가 서로 같음을 이용하여 각 ㅁㅂㄷ의 크기를 구합니다.

1-2 오른쪽 그림과 같이 평행사변형 ㄱㄴㄷㄹ을 합동인 사각형 2개로 나누었습니다. 각 ㄹㅁㅂ의 크기는 몇 도인지 구해 보세요.

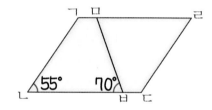

(1) 합동인 사각형 ㄱㄴㅂㅁ과 사각형 ㄷㄹㅁㅂ에서 각 ㄹㅁㅂ의 대응각을 찾아 써 보세요.

( )

(2) 각 ㄹㅁㅂ의 크기는 몇 도인가요?

( )

1-3 다음과 같이 사각형을 합동인 이등변삼각형 2개로 나누었습니다. 각 ㄴㄷㄹ의 크기가 140°일 때 각 ㄴㄱㄹ의 크기는 몇 도인지 구해 보세요.

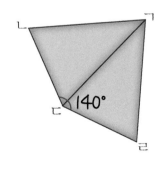

(1) 각 ㄱㄷㄴ의 크기는 몇 도인가요?

( )

(2) 각 ㄴㄱㄷ의 크기는 몇 도인가요?

( )

(3) 각 ㄴㄱㄹ의 크기는 몇 도인가요?

( )

2-1 진현이는 직사각형 모양의 색 테이프를 다음과 같이 접었습니다. ㉮의 크기는 몇 도일까요?

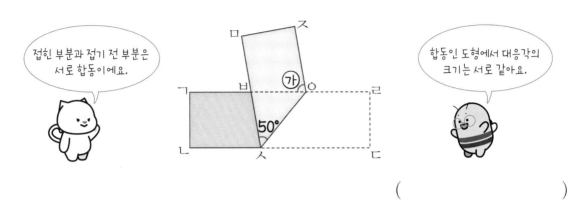

접힌 부분과 접기 전 부분은 서로 합동이에요.

합동인 도형에서 대응각의 크기는 서로 같아요.

(   )

- 구하려는 것: ㉮의 크기
- 주어진 조건: 색 테이프를 접은 그림, 각 ㅇㅅㅁ의 크기
- 해결 전략: 각 ㅇㅅㄷ의 크기와 각 ㄹㅇㅅ의 크기를 구한 후 각 ㅈㅇㅅ과 각 ㅂㅇㅅ의 크기를 이용하여
  ㉮의 크기를 구합니다.

✎ 구하려는 것(〜〜)과 주어진 조건(──)에 표시해 봅니다.

2-2 수연이가 색종이를 정오각형 모양으로 자른 후 다음 그림과 같이 접었습니다. 각 ㅂㅁㄹ의 크기는 몇 도인지 구해 보세요.

해결 전략
❶ 정오각형의 한 각인 각 ㄴㄱㅁ의 크기 구하기
❷ 각 ㄱㅁㄴ의 크기 구하기
❸ 각 ㄴㅁㅂ의 크기 구하기
❹ 각 ㅂㅁㄹ의 크기 구하기

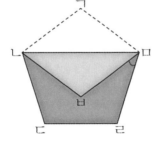

정오각형은 변의 길이와 각의 크기가 모두 같아요.

(1) 정오각형의 모든 각의 크기의 합은 몇 도일까요?   (   )

(2) 각 ㄴㄱㅁ의 크기는 몇 도일까요?   (   )

(3) 각 ㄱㅁㄴ의 크기는 몇 도일까요?   (   )

(4) 각 ㄴㅁㅂ의 크기는 몇 도일까요?   (   )

(5) 각 ㅂㅁㄹ의 크기는 몇 도일까요?   (   )

3_일 사고력 · 코딩

1
추론

도형을 점과 점을 연결하여 오른쪽 도형과 합동인 사다리꼴 여러 개로 나
누려고 합니다. 물음에 답하세요.

(1) 삼각형을 합동인 사다리꼴 3개로 나누어 보세요.

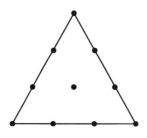

(2) 사각형을 각각 합동인 사다리꼴 4개로 나누어 보세요.

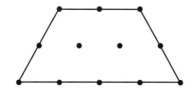 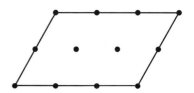

2
창의 · 융합

희정이는 9월 한 달 동안 달의 모양을 관찰하였습니다. 희정이가 관찰한 달의 모양을 보고 모양이
서로 합동인 달의 이름을 찾아 써 보세요.

날짜	1일	3일	7일	15일	23일	27일
달 모양	삭	초승달	상현달	보름달	하현달	그믐달

초승달과 (　　　　　　　　　)

하현달과 (　　　　　　　　　)

3 다음과 같이 색종이를 접었다 펼쳤습니다. 물음에 답하세요.

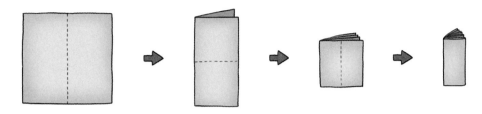

(1) 펼친 색종이의 접혔던 부분을 선으로 표시해 보세요.

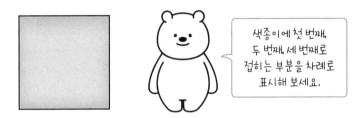

색종이에 첫 번째, 두 번째, 세 번째로 접히는 부분을 차례로 표시해 보세요.

(2) (1)에서 표시한 선을 따라 모두 잘랐을 때 생기는 합동인 사각형은 모두 몇 개인가요?

( )

4 색종이를 삼각형 모양으로 자른 후 다음과 같이 접었습니다. ㉠의 크기는 몇 도일까요?

( )

5 정사각형 모양의 색종이를 다음과 같이 접었습니다. ㉠과 ㉡의 크기의 차는 몇 도일까요?

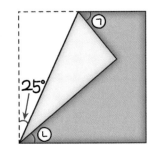

( )

1 대칭인 도형 완성하기

선대칭도형과 점대칭도형에서는 **각각의 대응변의 길이가 서로 같고, 각각의 대응각의 크기가 서로 같습니다.**

- 선대칭도형 완성하기

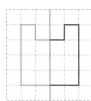

① 각 점에서 대칭축에 수선을 긋습니다.
② 대칭축까지의 거리가 서로 같은 대응점을 모두 찾아 표시합니다.
③ 표시한 점을 차례로 이어 선대칭도형을 완성합니다.

- 점대칭도형 완성하기

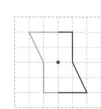

① 각 점에서 대칭의 중심을 지나는 직선을 긋습니다.
② 대칭의 중심까지의 거리가 서로 같은 대응점을 모두 찾아 표시합니다.
③ 표시한 점을 차례로 이어 점대칭도형을 완성합니다.

활동 문제 선대칭도형과 점대칭도형이 되도록 알맞게 완성해 보세요.

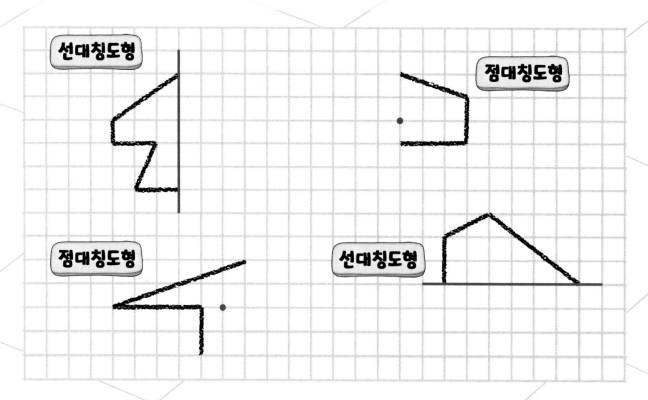

▶ 정답 및 해설 15쪽

② **데칼코마니로 완성한 도형의 둘레 구하기**

* 데칼코마니: 종이 위에 그림물감을 두껍게 칠하고 반으로
접어 찍어서 대칭적인 무늬를 만드는 기법.

도화지 한쪽 면에
물감을 묻힙니다.

도화지를 반으로
접습니다.

도화지를 다시 펼치면
완성됩니다.

➜ 완성한 도형의 둘레는 처음 종이에 그린 선의 길이의 2배와 같습니다.

(완성한 도형의 둘레)=(처음 그린 선의 길이)×2

$$=(3+3+3)×2$$

$$=9×2=18 \text{ (cm)}$$

데칼코마니로 만든 도형은
선대칭 도형이에요.

활동 문제 데칼코마니 기법을 이용하여 다음과 같은 모양을 만들었습니다. 만든 도형의 변의
길이를 ☐ 안에 써넣으세요.

❶

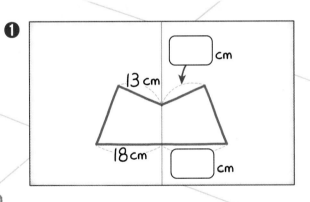

❷

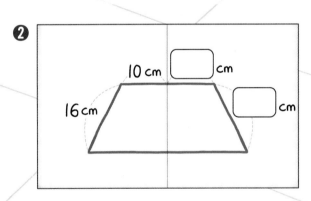

❸

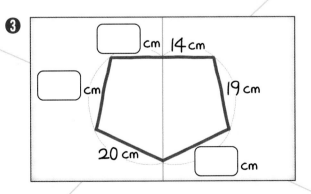

❹

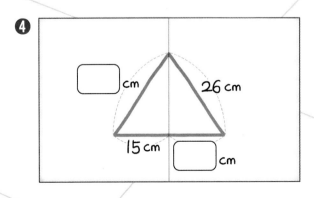

1-1 직선 ㅁㅂ을 대칭축으로 하는 선대칭도형입니다. 삼각형 ㄱㄴㄷ의 넓이는 몇 cm²일까요?

( )

• 대응변의 길이가 서로 같음을 이용하여 선분 ㄷㄹ의 길이를 구합니다.
• 삼각형 ㄱㄴㄷ의 넓이를 구합니다. → (삼각형의 넓이)=(밑변의 길이)×(높이)÷2

1-2 직선 ㅁㅂ을 대칭축으로 하는 선대칭도형입니다. 변 ㄱㄹ과 변 ㄴㄷ은 서로 평행합니다. 사각형 ㄱㄴㄷㄹ의 넓이를 구해 보세요.

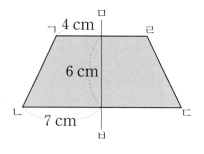

한 쌍의 변이 서로 평행하므로 사다리꼴이네요.

(1) 변 ㄱㄹ의 길이는 몇 cm일까요? ( )

(2) 변 ㄴㄷ의 길이는 몇 cm일까요? ( )

(3) 사각형 ㄱㄴㄷㄹ의 넓이는 몇 cm²일까요? ( )

1-3 직선 ㅁㅂ을 대칭축으로 하는 선대칭도형입니다. 사각형 ㄱㄴㄷㄹ의 넓이를 구해 보세요.

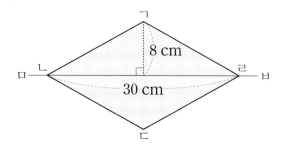

(1) 삼각형 ㄱㄴㄹ의 넓이는 몇 cm²인가요?

( )

(2) 사각형 ㄱㄴㄷㄹ의 넓이는 몇 cm²인가요?

( )

2-1 현종이는 데칼코마니 기법을 이용하여 다음과 같이 모눈종이에 물감을 묻혀 그림을 그린 다음 종이를 반으로 접었다 펼쳐서 작품을 만들려고 합니다. 선대칭도형을 완성하고, 완성된 도형의 둘레는 몇 cm인지 구해 보세요.

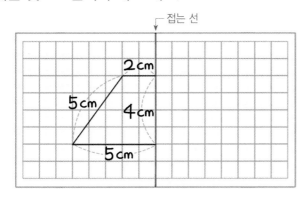

데칼코마니 기법을 이용하면 선대칭도형이 만들어져요.

(   )

- 구하려는 것: 선대칭도형 완성하기, 완성된 도형의 둘레
- 주어진 조건: 선대칭도형의 일부, 그린 선분의 길이, 접는 선
- 해결 전략: ❶ 대칭축을 기준으로 각각의 대응점을 찾아 선대칭도형을 완성하기

  ❷ 선대칭도형의 성질을 이용하여 완성된 도형의 둘레 구하기

  ➡ 선대칭도형에서 대응변의 길이가 서로 같으므로 완성된 도형의 둘레 중 주어진 변의 길이의 합을 2배 하여 구할 수 있습니다.

✎ 구하려는 것(〰)과 주어진 조건(——)에 표시해 봅니다.

2-2 소영이는 데칼코마니 기법을 이용하여 다음과 같이 모눈종이에 물감을 묻혀 그림을 그린 다음 종이를 반으로 접었다 펼쳐서 작품을 만들려고 합니다. 선대칭도형을 완성하고, 완성된 도형의 둘레는 몇 cm인지 구해 보세요.

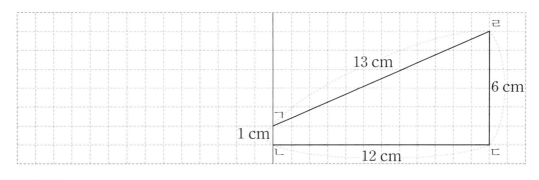

해결 전략

❶ 대칭축(접은 선)을 기준으로 각각의 대응점을 찾아 선대칭도형 완성하기
❷ 대응변의 길이를 구하고 완성된 도형의 둘레 구하기

(   )

1
창의·융합

다음은 여러 나라의 국기입니다. 물음에 답하세요.

핀란드

대한민국

가나

미국

그리스

세이셸

브라질

나이지리아

오스트리아

콩고

중국

콜롬비아

(1) 국기가 선대칭도형인 나라를 모두 찾아 이름을 써 보세요.

(   )

(2) 위의 선대칭도형인 국기에 대칭축을 모두 그려 보세요.

(3) 대칭축이 2개인 국기를 가진 나라를 모두 찾아 이름을 써 보세요.

(   )

2
추론

수아가 바둑판에 바둑돌을 다음과 같이 놓았습니다. 바둑돌로 만든 모양이 빨간 선을 대칭축으로 하는 선대칭도형이 되도록 검은색 바둑돌과 흰색 바둑돌을 표시해 보세요.

바둑돌의 색깔도 맞춰서 표시해요.

3

문제 해결

사다리꼴 ㄱㄴㄷㄹ이 있습니다. 거울을 직선 ㄱㄴ이 있는 위치에 대어 거울에 비친 모양을 보았더니 선대칭도형이 되었습니다. 선대칭도형을 완성한 후 완성한 선대칭도형의 둘레는 몇 cm인지 구해 보세요.

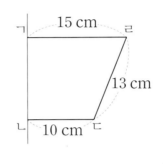

(   )

4

코딩

대칭축 위의 빨간 점에서 시작하여 동작 버튼을 눌러 선대칭도형을 그리려고 합니다. 연필을 움직여 선대칭도형을 그리려면 어떤 버튼을 눌러야 하는지 선대칭도형을 완성하고 빈칸에 차례로 화살표를 채워 넣어 보세요.

동작 버튼

→ : 오른쪽으로 한 칸 이동　　↑ : 위쪽으로 한 칸 이동

← : 왼쪽으로 한 칸 이동　　↓ : 아래쪽으로 한 칸 이동

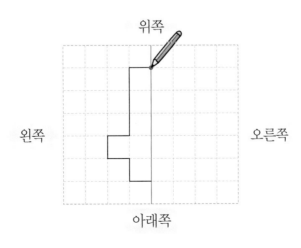

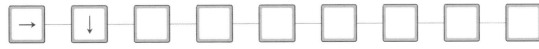

1 대칭인 문자 찾기

A U Q I N O E Z

선대칭도형	점대칭도형
A U I O E	I N O Z

↓

선대칭도형이면서 점대칭도형인 문자: I, O

활동 문제 알파벳이 적혀 있는 구슬이 있습니다. 각각 알맞은 팻말에 선으로 연결해 보세요.

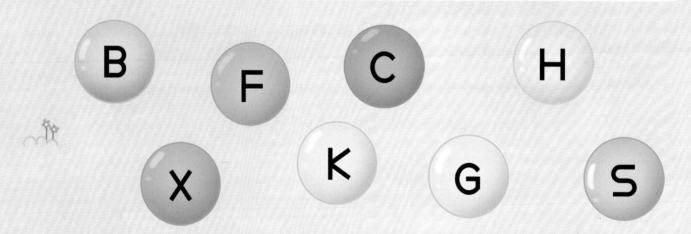

B F C H

X K G S

| 선대칭도형이지만 점대칭도형은 아닌 알파벳 | 선대칭도형이면서 점대칭도형인 알파벳 | 점대칭도형이지만 선대칭도형은 아닌 알파벳 |

2 거울을 이용하여 숨겨진 문자 찾기

거울을 대칭축에 대어 보면 선대칭도형이 만들어집니다.

주어진 직선을 대칭축으로 하는 선대칭도형을 완성하면 숨겨진 문자를 찾을 수 있습니다.

예

숨겨진 문자는 103입니다.

활동 문제 왼쪽 종이의 대칭축에 각각 거울을 대어 선대칭도형을 완성해 보고, 숨겨진 문자가 적혀 있는 카드를 찾아 색칠해 보세요.

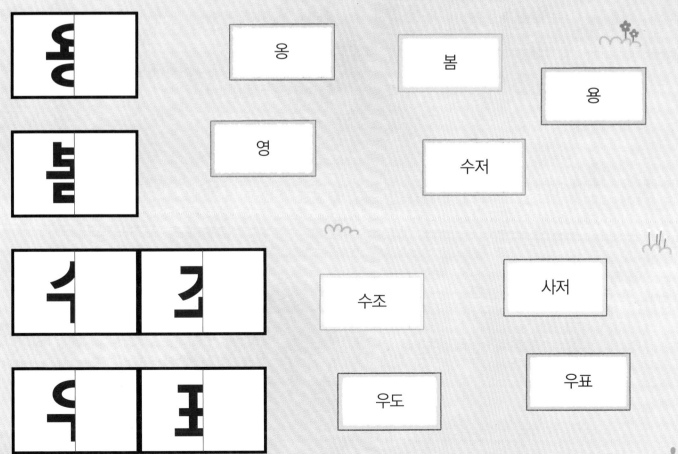

1-1 선대칭도형이면서 점대칭도형인 자음은 모두 몇 개인가요?

ㄷ ㅂ ㅈ ㅋ ㅍ

(   )

❶ 선대칭도형이 되는 자음을 모두 찾습니다.
❷ 점대칭도형이 되는 자음을 모두 찾습니다.
❸ 두 조건을 모두 만족하는 자음을 모두 찾습니다.

선대칭도형을 먼저 찾고
그중에서 점대칭도형도 되는
문자를 찾을 수도 있어요.

1-2 선대칭도형이면서 점대칭도형인 숫자는 모두 몇 개인지 구해 보세요.

0 2 4 6 8

(1) 선대칭도형인 숫자를 모두 찾아 써 보세요.   (   )

(2) 점대칭도형인 숫자를 모두 찾아 써 보세요.   (   )

(3) 선대칭도형이면서 점대칭도형인 숫자는 모두 몇 개인가요?   (   )

1-3 선대칭도형이면서 점대칭도형인 자음은 모두 몇 개인지 구해 보세요.

ㄹ ㅁ ㅅ ㅇ ㅊ ㅌ ㅎ

(1) 선대칭도형인 자음을 모두 써 보세요.

(   )

(2) (1)에서 구한 자음 중에서 점대칭도형인 자음을 모두 써 보세요.

(   )

(3) 선대칭도형이면서 점대칭도형인 자음은 모두 몇 개인가요?

(   )

2-1 808은 점대칭이 되는 수입니다. 주어진 7개의 디지털 숫자로 세 자리 수를 만들려고 합니다. 100부터 199까지의 자연수 중에서 점대칭이 되는 세 자리 수는 모두 몇 개일까요? (단, 같은 숫자를 여러 번 사용할 수 있습니다.)

100부터 199까지의 자연수는 백의 자리 숫자가 1이에요.

먼저 180° 돌렸을 때 나오는 숫자부터 찾아보세요.

(   )

- 구하려는 것: 100부터 199까지의 자연수 중 주어진 디지털 숫자로 만들 수 있는 점대칭이 되는 세 자리 수의 개수
- 주어진 조건: 디지털 숫자 0~6, 100부터 199까지의 자연수, 점대칭이 되는 세 자리 수, 같은 숫자를 여러 번 사용할 수 있음
- 해결 전략: ❶ 180° 돌렸을 때 나올 수 있는 숫자 모두 찾기
  ❷ 주어진 범위를 보고 만들 수 있는 세 자리 수의 백의 자리 숫자 구하기
  ❸ 점대칭이 되는 세 자리 수일 때 일의 자리 숫자 구하기
  ❹ 십의 자리에 올 수 있는 숫자 구하기
  ❺ 만들 수 있는 세 자리 수를 모두 구하여 개수 세기

✎ 구하려는 것(〜〜)과 주어진 조건(——)에 표시해 봅니다.

2-2 다음과 같은 디지털 숫자로 세 자리 수를 만들려고 합니다. 600보다 작은 자연수 중에서 점대칭이 되는 세 자리 수는 모두 몇 개일까요? (단, 같은 숫자를 여러 번 사용할 수 있습니다.)

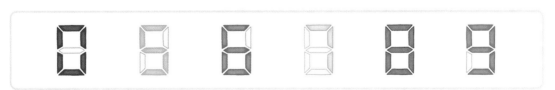

해결 전략
❶ 180° 돌렸을 때 나올 수 있는 숫자 모두 찾기
❷ 600보다 작은 세 자리 수를 만들 때 백의 자리, 일의 자리에 올 수 있는 숫자 구하기
❸ 십의 자리에 올 수 있는 숫자 구하기
❹ 만들 수 있는 세 자리 수를 모두 구하여 개수 세기

(   )

5일

1 거울을 대칭축에 대어 선대칭도형을 완성하고, ☐ 안에 숨겨진 단어를 써 보세요.

D I V E → ☐

2 지석이가 마법에 걸린 건물에 갇혔습니다. 다음 조건 을 모두 만족하는 방으로 가면 건물에서 탈출할 수 있습니다. 지석이가 탈출하기 위해 가야 하는 방의 창문을 색칠해 보세요.

조건

• 다음 중 선대칭도형인 숫자를 모두 더한 수가 출구가 있는 층수입니다.

2 3 4 5 6 7 8 9

• 다음 중 점대칭도형인 문자의 개수가 출구가 있는 방 호수의 일의 자리 숫자입니다.

ㄷ F ㄹ Z ㅂ C J ㅋ

3

다음과 같은 디지털 숫자로 만들 수 있는 두 자리 수 중에서 점대칭이 되는 두 자리 수는 모두 몇 개일까요? (단, 같은 숫자를 여러 번 사용할 수 있습니다.)

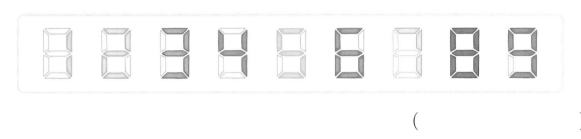

(　　　　　　　　)

4

보기 의 알파벳을 다음과 같은 순서에 따라 분류하는 프로그램에 넣었습니다. 시작 부분에 알파벳을 넣었을 때 ㉠과 ㉡으로 나오는 알파벳은 각각 몇 개인지 구해 보세요.

보기

A C G H L M N O R U W X Y

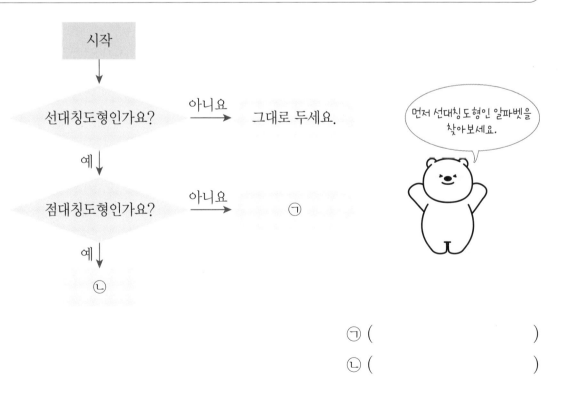

㉠ (　　　　　　　　)

㉡ (　　　　　　　　)

1 2명씩 짝을 지어 커플 댄스를 배우려고 합니다. 여학생들의 치마에 적힌 식을 보고 알맞은 계산 결과를 등에 붙인 남학생과 선으로 이어 짝을 지어 보세요. 창의·융합

2 아기 거미가 커다란 나뭇잎에 알파벳을 적었습니다. 이 중에서 선대칭도형인 알파벳끼리 모으면 아기 거미가 가장 좋아하는 동물 친구가 누구인지 알 수 있습니다. 아기 거미가 가장 좋아하는 동물 친구를 찾아 ○표 하세요. 추론

HORSE   COW   DOG   PIG

3 다음과 같은 방법으로 바람개비를 만들었습니다. 완성된 바람개비에 대해 바르게 설명한 사람을 찾아 이름을 써 보세요. 창의·융합

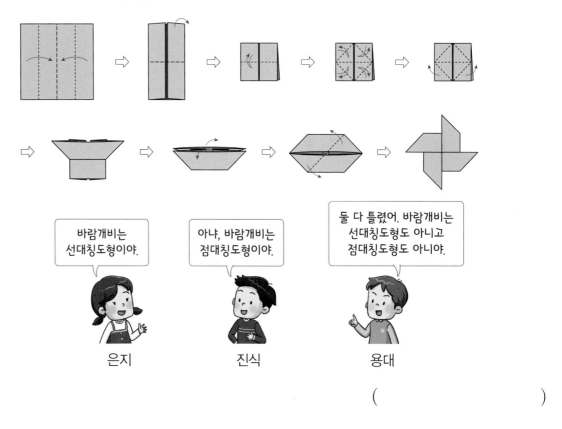

은지 : 바람개비는 선대칭도형이야.

진식 : 아냐, 바람개비는 점대칭도형이야.

용대 : 둘 다 틀렸어. 바람개비는 선대칭도형도 아니고 점대칭도형도 아니야.

(   )

4 유성이는 정사각형 모양의 꽃밭을 가꾸고, 재현이는 직사각형 모양의 꽃밭을 가꾸고 있습니다. 누구의 꽃밭이 더 넓은가요? 문제 해결

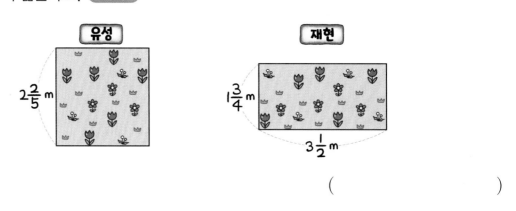

유성 : $2\frac{2}{5}$ m

재현 : $1\frac{3}{4}$ m, $3\frac{1}{2}$ m

(   )

5 고대 그리스의 수학자인 탈레스는 바다를 건너지 않고 배와 해안선 사이의 거리를 다음과 같은
방법으로 재었다고 합니다. 다음 그림을 보고 해안선에서 배까지의 거리는 몇 km인지 구해 보
세요. 창의·융합 문제 해결

> 바다와 육지가 맞닿은 선

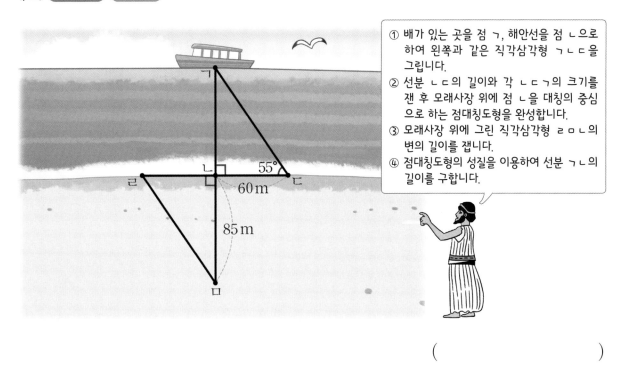

① 배가 있는 곳을 점 ㄱ, 해안선을 점 ㄴ으로 하여 왼쪽과 같은 직각삼각형 ㄱㄴㄷ을 그립니다.
② 선분 ㄴㄷ의 길이와 각 ㄴㄷㄱ의 크기를 잰 후 모래사장 위에 점 ㄴ을 대칭의 중심으로 하는 점대칭도형을 완성합니다.
③ 모래사장 위에 그린 직각삼각형 ㄹㅁㄴ의 변의 길이를 잽니다.
④ 점대칭도형의 성질을 이용하여 선분 ㄱㄴ의 길이를 구합니다.

(   )

6 소영이는 넓이가 $76\frac{2}{3}$ cm²인 정사각형 모양의 색종이를 다음과 같이 2번 접은 다음 선을 따라
잘랐습니다. 잘린 모양 중에서 가장 큰 모양의 넓이는 몇 cm²인지 구해 보세요. 문제 해결

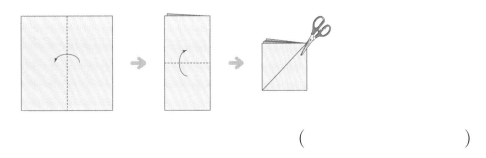

(   )

7 크기가 같은 정사각형 2개를 변끼리 이어 붙여 만든 모양을 도미노, 정사각형 3개를 붙여 만든 모양을 트로미노, 정사각형 4개를 붙여 만든 모양을 테트로미노, 정사각형 5개를 붙여 만든 모양을 펜토미노라고 합니다. 다음 펜토미노 중에서 선대칭도형이면서 점대칭도형인 것은 모두 몇 개인지 구해 보세요. 문제 해결 창의 · 융합

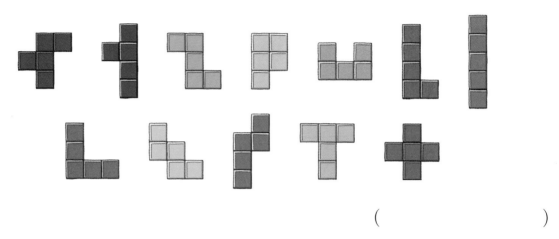

(   )

8 점 ㅇ을 대칭의 중심으로 하는 점대칭도형입니다. 도형의 둘레가 34 cm일 때, 변 ㄱㅂ은 몇 cm 인지 구해 보세요. 문제 해결

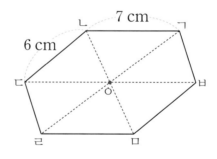

❶ 변 ㄹㅁ은 몇 cm인지 구해 보세요.

(   )

❷ 변 ㅁㅂ은 몇 cm인지 구해 보세요.

(   )

❸ 변 ㄱㅂ은 몇 cm인지 구해 보세요.

(   )

9 규칙 에 따라 집을 지은 땅을 나누어 보세요. 창의·융합 추론

> 규칙
>
> • 남는 부분이 없도록 땅을 여러 개의 점대칭도형으로 나눕니다.
> • 집이 각 점대칭도형의 대칭의 중심이 되도록 합니다.
> • 땅을 겹쳐서 나눌 수 없습니다.

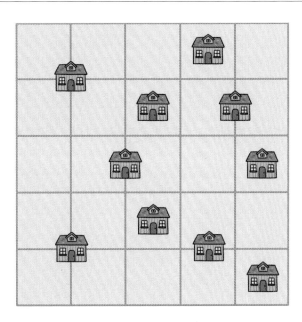

10 셜록홈즈가 범인을 찾고 있습니다. 범인은 A 지역에 살고 있으며 목에 점이 있는 50대 남자라고 합니다. A 지역 주민의 $\frac{1}{2}$은 남자이고, 남자 중에서 $\frac{2}{15}$가 50대이며 그중에서 $\frac{3}{40}$이 목에 점이 있다고 합니다. 범인은 A 지역 주민의 몇 분의 몇에 속할까요? 추론

(   )

1 수조에 물이 들어 있습니다. 어제는 $\dfrac{1}{3}$을 사용하고, 오늘은 나머지의 $\dfrac{1}{2}$을 사용했습니다. 오늘 사용한 물의 양은 전체의 몇 분의 몇인지 구해 보세요.

( )

2 직사각형을 똑같은 크기로 나누고 그중의 일부를 색칠했습니다. 색칠한 부분의 넓이는 몇 cm^2인지 구해 보세요.

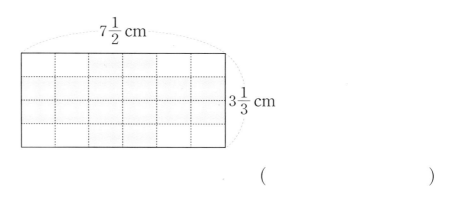

( )

3 성호는 한 변의 길이가 $5\dfrac{1}{4}$ m인 정사각형의 가로를 $3\dfrac{1}{3}$배로 늘이고, 세로를 $1\dfrac{1}{5}$배로 늘여 새로운 직사각형을 만들었습니다. 새로 만든 직사각형의 넓이는 몇 m^2인지 구해 보세요.

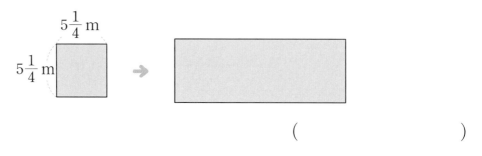

( )

4 다음과 같이 직사각형 ㄱㄴㄷㄹ을 합동인 사각형 2개로 나누었습니다. 각 ㄱㅁㅂ의 크기는 몇 도인지 구해 보세요.

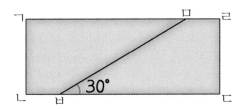

(   )

2주
테스트

5 직사각형 모양의 색 테이프를 다음과 같이 접었습니다. ☐ 안에 알맞은 수를 써넣으세요.

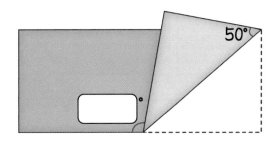

6 직선 ㅁㅂ을 대칭축으로 하는 선대칭도형입니다. 삼각형 ㄱㄴㄷ의 넓이는 몇 cm²일까요?

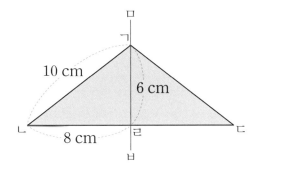

(   )

7 선대칭도형이면서 점대칭도형인 문자는 모두 몇 개인지 구해 보세요.

(   )

만화로 미리 보기

어휴. 틀렸잖아.

소수와 자연수의 곱셈에서 곱의 소수점 위치의 규칙을 모르니 틀리지.

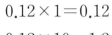

$$0.12 \times 1 = 0.12$$
$$0.12 \times 10 = 1.2$$
$$0.12 \times 100 = 12$$
$$0.12 \times 1000 = 120$$

$$120 \times 1 = 120$$
$$120 \times 0.1 = 12$$
$$120 \times 0.01 = 1.2$$
$$120 \times 0.001 = 0.12$$

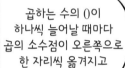

곱하는 수의 0이 하나씩 늘어날 때마다 곱의 소수점이 오른쪽으로 한 자리씩 옮겨지고

곱하는 소수의 소수점 아래 자리 수가 하나씩 늘어날 때마다 곱의 소수점이 왼쪽으로 한 자리씩 옮겨진다고.

아~ 소수점을 보니 1.2 kg 이구나.

맞아.

나도 바나나 우유 좋아하는데 내 것도 만들어 줄래?

알았어. 잠시만 기다려.

그래.

드디어 바나나 우유 완성!!

헉! 이게 뭐야.

믹서기가 고장 났어.

어쨌든 바나나 우유긴 하네.

3주 에는 무엇을 공부할까? ②

1.1을 3번 더한 더한 것과 같아.
1.1 × 3 = 1.1 + 1.1 + 1.1 = 3.3

4 × 3 = 12
내가 $\frac{1}{10}$ 배가 되면
나도 $\frac{1}{10}$ 배~
4 × 0.3 = 1.2

확인 문제

1-1 ☐ 안에 알맞은 수를 써넣으세요.

(1) $0.7 \times 3 = 0.7 + \boxed{} + \boxed{}$

$\qquad = \boxed{}$

(2) $0.4 \times 8 = \dfrac{\boxed{}}{10} \times 8 = \dfrac{\boxed{} \times 8}{10}$

$\qquad = \dfrac{\boxed{}}{10} = \boxed{}$

한번 더

1-2 ☐ 안에 알맞은 수를 써넣으세요.

(1) $1.4 \times 2 = \boxed{} + \boxed{}$

$\qquad = \boxed{}$

(2) $2.3 \times 3 = \dfrac{\boxed{}}{10} \times 3 = \dfrac{\boxed{} \times 3}{10}$

$\qquad = \dfrac{\boxed{}}{10} = \boxed{}$

2-1 ☐ 안에 알맞은 수를 써넣으세요.

(1) $2 \times 4 = 8$

$2 \times 0.4 = \boxed{}$

(2) $3 \times 0.6 = 3 \times \dfrac{\boxed{}}{10} = \dfrac{3 \times \boxed{}}{10}$

$\qquad = \dfrac{\boxed{}}{10} = \boxed{}$

2-2 ☐ 안에 알맞은 수를 써넣으세요.

(1) $5 \times 21 = 105$

$5 \times 2.1 = \boxed{}$

(2) $8 \times 1.2 = 8 \times \dfrac{\boxed{}}{10} = \dfrac{8 \times \boxed{}}{10}$

$\qquad = \dfrac{\boxed{}}{10} = \boxed{}$

교과 내용 확인하기

▶ 정답 및 해설 20쪽

$$0.8 \times 0.7 = 0.56$$

$8 \times 7 = 56$이므로
$0.8 \times 0.7 = 0.56$입니다.

소수끼리의 곱셈은 자연수의 곱셈을 한 후에 소수의 크기를 생각하여 소수점을 찍어요.

확인 문제

3-1 계산해 보세요.

(1)
$$\begin{array}{r} 0.3 \\ \times\, 0.2 \\ \hline \end{array}$$

(2)
$$\begin{array}{r} 1.2 \\ \times\, 1.5 \\ \hline \end{array}$$

한번 더

3-2 계산해 보세요.

(1)
$$\begin{array}{r} 0.2\,2 \\ \times\quad 0.5 \\ \hline \end{array}$$

(2)
$$\begin{array}{r} 1.4 \\ \times\, 2.6 \\ \hline \end{array}$$

4-1 ☐ 안에 알맞은 수를 써넣으세요.

$4565 \times\ \ 1\ \ =\ \ 4565$

$4565 \times\ \ 0.1\ =\ \boxed{}$

$4565 \times\ \ 0.01\ =\ \boxed{}$

$4565 \times 0.001 =\ \boxed{}$

4-2 ☐ 안에 알맞은 수를 써넣으세요.

$2\ \ \times 1425 =\ \ 2850$

$0.2\ \ \times 1425 =\ \boxed{}$

$0.02\ \times 1425 =\ \boxed{}$

$0.002 \times 1425 =\ \boxed{}$

5-1 직사각형 6개로 둘러싸인 입체도형입니다. 입체도형의 이름을 써 보세요.

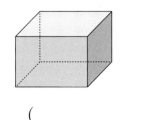

( )

5-2 정사각형 6개로 둘러싸인 입체도형입니다. 입체도형의 이름을 써 보세요.

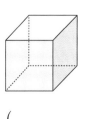

( )

---

1 **정다각형의 둘레 구하기**

한 변의 길이에 변의 수를 곱하여 둘레를 구합니다.

예 한 변의 길이가 1.2 cm인 정사각형의 둘레 구하기

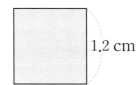

1.2 cm

정다각형은
변의 길이가 모두
같습니다.

(정사각형의 둘레)＝(한 변의 길이)×(변의 수)

＝1.2×4＝4.8 (cm)

활동 문제 정다각형 모양 퍼즐의 둘레를 각각 구해 보세요.

❶

1.6 cm

1.6×3=☐ (cm)

❷

1.4 cm

1.4×4=☐ (cm)

❸

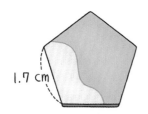

1.7 cm

1.7×☐=☐ (cm)

❹

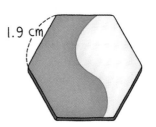

1.9 cm

1.9×☐=☐ (cm)

2 정다각형 여러 개로 이루어진 도형의 둘레

정다각형의 한 변의 길이에 둘레에 놓인 변의 수를 곱하여 둘레를 구합니다.

예 한 변의 길이가 1.8 cm인 정삼각형 3개로 이루어진 도형의 둘레 구하기

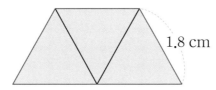

1.8 cm

(도형의 둘레)＝(정다각형의 한 변의 길이)×(변의 수)
　　　　　　＝1.8×5＝9 (cm)

활동 문제 남은 퍼즐 조각이 다음과 같을 때 퍼즐의 비어 있는 부분의 둘레를 구해 보세요.
(단, 남은 퍼즐 조각은 모두 정다각형 모양입니다.)

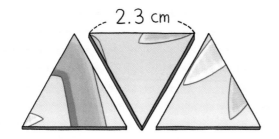

2.3 cm

1.7 cm

❶

❷

(둘레)＝2.3×☐

＝☐ (cm)

(둘레)＝1.7×☐

＝☐ (cm)

1-1 정다각형의 둘레를 구해 보세요.

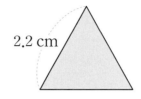

2.2 cm

(   )

• 변의 수를 구한 후 한 변의 길이에 변의 수를 곱합니다.

1-2 정다각형의 둘레를 구해 보세요.

3.1 cm

(1) 변의 수는 몇 개인가요?

(   )

(2) 정다각형의 둘레를 구해 보세요.

(   )

1-3 정다각형의 둘레를 구해 보세요.

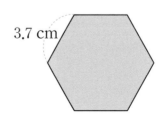

3.7 cm

변의 수는 ☐ 개이므로 정다각형의 둘레는 ☐ × ☐ = ☐ (cm)입니다.

2-1 진수는 퍼즐을 맞추고 있었습니다. 남은 퍼즐 조각은 모두 한 변의 길이가 1.2 cm인 정다각형 모양이고 비어 있는 부분이 다음과 같을 때 비어 있는 부분의 둘레를 구해 보세요.

  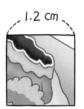

(   )

- 구하려는 것: 비어 있는 부분의 둘레
- 주어진 조건: 정다각형 모양의 퍼즐 조각, 비어 있는 부분의 모양
- 해결 전략: ❶ 비어 있는 부분을 정다각형 모양의 퍼즐로 채우기
  ❷ 비어 있는 부분의 둘레 구하기

✎ 구하려는 것(〜〜)과 주어진 조건(──)에 표시해 봅니다.

2-2 지혜는 퍼즐을 맞추고 있었습니다. 남은 퍼즐 조각은 모두 한 변의 길이가 2.3 cm인 정다각형 모양이고 빈 공간이 다음과 같을 때 빈 공간의 둘레를 구해 보세요.

해결 전략
❶ 비어 있는 부분을 정다각형 모양의 퍼즐로 채우기
❷ 비어 있는 부분의 둘레 구하기

(   )

1 문제 해결

정삼각형과 정사각형의 둘레의 합은 몇 cm인지 구해 보세요.

1.3 cm

1.5 cm

(   )

2 문제 해결

준영이와 지윤이가 일주일 동안 쿠키 만들기를 했습니다. 다음을 보고 지윤이가 일주일 동안 사용한 밀가루의 양은 몇 kg인지 구해 보세요.

하루에 밀가루를 23.2 kg씩 일주일 동안 사용했어.

준영

일주일 동안 밀가루를 준영이보다 7.4 kg 더 많이 사용했어.

지윤

(   )

3 추론

어떤 수에 3을 곱해야 할 것을 잘못하여 3을 더했더니 7.5가 되었습니다. 바르게 계산한 값을 구해 보세요.

(   )

▶정답 및 해설 20쪽

4

도로 한쪽에 일정한 간격으로 나무 16그루를 심으려고 합니다. 나무와 나무 사이의 간격이 5.32 m라면 도로의 길이는 몇 m인지 구해 보세요. (단, 도로의 시작 지점과 끝 지점에는 나무를 심습니다.)

5.32 m

( )

5

윤아가 정다각형 모양 퍼즐을 맞추고 있습니다. 남은 퍼즐 조각과 비어 있는 부분이 다음과 같을 때 비어 있는 부분의 둘레를 구해 보세요.

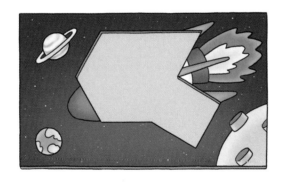

3.2 cm

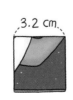

3.2 cm

3.2 cm

( )

1 고장 난 저울

예 실제 무게의 1.15배로 표시되는 고장 난 저울에 실제 무게가 20 kg인 쌀을 올려놓았을 때 저울에 표시되는 무게 구하기

고장 난 저울 →

□배로 표시될 때
(표시되는 무게)
=(실제 무게)×□
에요.

→ (저울에 표시되는 무게)=(실제 무게)×1.15
　　　　　　　　　　　=20×1.15=23 (kg)

활동 문제 무게가 각각 60 kg, 40 kg인 물건을 고장 난 저울에 각각 올려놓았습니다. 저울에 표시되는 무게는 몇 kg인지 구해 보세요.

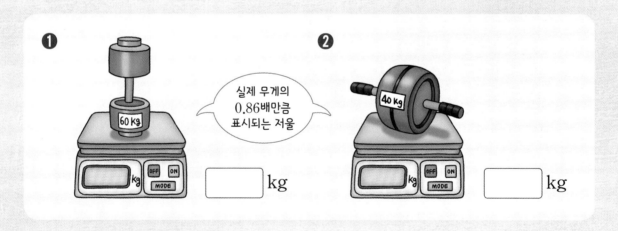

❶ 60 kg

실제 무게의
0.86배만큼
표시되는 저울

❷ 40 kg

□ kg

□ kg

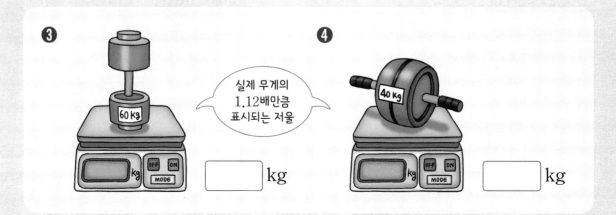

❸ 60 kg

실제 무게의
1.12배만큼
표시되는 저울

❹ 40 kg

□ kg

□ kg

② 가격 구하기

예 1 kg에 8000원인 고기를 1.5 kg 샀을 때, 산 고기의 가격 구하기

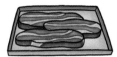

➡ (산 고기 가격)＝(1 kg당 고기 가격)×(산 고기의 무게)
　　　　　　＝8000×1.5＝12000(원)

활동 문제 　친구들이 물건을 사는 데 필요한 돈은 얼마인지 구해 보세요.

❶ 구슬	❷ 밀가루	❸ 점토

구슬 1.3 kg을
살 거야.

승아

1700×1.3

$=\boxed{}$ (원)

밀가루 0.8 kg을
살 거야.

민수

2200×0.8

$=\boxed{}$ (원)

점토 1.5 kg을
살 거야.

지현

$2500 \times \boxed{}$

$=\boxed{}$ (원)

1-1 저울이 고장 나서 실제 무게의 0.8배로 표시됩니다. 10 kg짜리 사과 상자 4개를 저울에 올려 놓았을 때 저울에 표시되는 무게는 몇 kg인지 구해 보세요.

(   )

❶ 사과 상자 4개의 무게를 구합니다.
❷ 사과 상자 4개의 무게에 0.8을 곱합니다.

1-2 저울이 고장 나서 실제 무게의 0.75배로 표시됩니다. 20 kg짜리 쌀 5포대를 저울에 올려놓았을 때 저울에 표시되는 무게는 몇 kg인지 구해 보세요.

(1) 쌀의 무게는 모두 몇 kg일까요?

(   )

(2) 저울에 표시되는 무게는 몇 kg일까요?

(   )

1-3 저울이 고장 나서 실제 무게의 1.56배로 표시됩니다. 5 kg짜리 추 10개를 저울에 올려놓았을 때 저울에 표시되는 무게는 몇 kg인지 구해 보세요.

추의 무게는 모두 ☐ kg입니다.

따라서 저울에 표시되는 무게는 ☐ × 1.56 = ☐ (kg)입니다.

2-1 연희는 정육점에서 심부름으로 고기를 사려고 합니다. 1 kg당 고기의 가격이 9200원일 때 고기 1.6 kg을 사는 데 필요한 돈은 얼마인지 구해 보세요.

(   )

- **구하려는 것**: 고기 1.6 kg을 사는 데 필요한 돈
- **주어진 조건**: 1 kg당 고기의 가격은 9200원
- **해결 전략**: 1 kg당 고기의 가격에 사려고 하는 고기의 무게를 곱합니다.

✎ 구하려는 것(∼∼)과 주어진 조건(―――)에 표시해 봅니다.

2-2 지호는 사탕 가게에서 사탕을 사려고 합니다. 1 kg당 사탕의 가격이 8500원일 때 사탕 0.8 kg을 사는 데 필요한 돈은 얼마인지 구해 보세요.

해결 전략

1 kg당 사탕의 가격에 사려고 하는 사탕의 무게를 곱합니다.

(   )

2-3 나희는 페인트 가게에서 페인트를 사려고 합니다. 1 L당 페인트의 가격이 7600원일 때 페인트 2.2 L를 사는 데 필요한 돈은 얼마인지 구해 보세요.

(   )

1 코딩
시작 부분에 10000을 넣고 계산했을 때 끝 부분에 나오는 값을 구해 보세요.

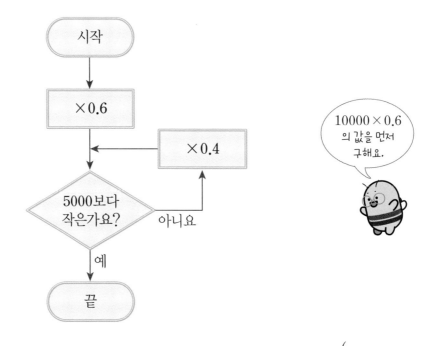

10000 × 0.6
의 값을 먼저
구해요.

( )

2 추론
♥ 기호를 다음과 같이 약속할 때, 계산해 보세요.

가♥나=가×0.2+나×0.3

(1) 5♥3

( )

(2) 7♥9

( )

3 문제 해결

실제 무게의 0.96배로 표시되는 고장 난 저울에 사과 바구니, 참외 바구니, 포도 바구니를 동시에 모두 올려 놓았을 때 저울에 표시되는 무게는 몇 kg인지 구해 보세요.

( )

 4 문제 해결

자판기가 고장이 나서 5000원짜리 지폐만 넣을 수 있습니다. 물음에 답하세요. (단, 거스름돈은 5000원보다 적습니다.)

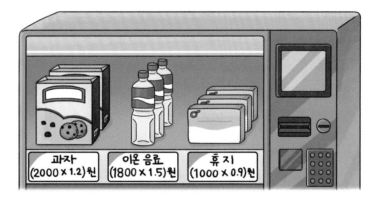

(1) 과자 1개를 뽑았을 때 거스름돈은 얼마일까요?

( )

(2) 이온 음료를 뽑았을 때 거스름돈은 얼마일까요?

( )

(3) 휴지 2개를 뽑았을 때 거스름돈은 얼마일까요?

( )

① 이동한 거리 구하기

(이동한 거리)＝(1시간 동안 이동하는 거리)×(이동한 시간)

예 1시간 동안 45.6 km만큼 가는 빠르기로 달리는 차가 같은 빠르기로 1시간 15분을 달린다면 몇 km를 가는지 구하기

 1시간 15분 후 ➡

① 1시간 15분＝$1\frac{15}{60}$시간＝$1\frac{1}{4}$시간＝1.25시간

② (1시간 15분 동안 가는 거리)＝(1시간 동안 이동하는 거리)×(이동하는 시간)
　　　　　　　　　　　　＝45.6×1.25＝57 (km)

활동 문제 　차가 같은 빠르기로 주어진 시간 동안 달린다면 몇 km를 가는지 ▢ 안에 알맞은 수를 써넣어 구해 보세요.

❶

1시간 동안 60.5 km를 가는 빠르기

1시간 12분 후

1시간 12분＝$1\frac{12}{60}$시간＝$1\frac{1}{5}$시간＝▢시간

➡ (1시간 12분 동안 가는 거리)＝60.5×▢＝▢(km)

❷

1시간 동안 52.6 km를 가는 빠르기

1시간 48분 후

1시간 48분＝$1\frac{48}{60}$시간＝$1\frac{4}{5}$시간＝▢시간

➡ (1시간 48분 동안 가는 거리)＝52.6×▢＝▢(km)

2 터널의 길이 구하기

터널 입구부터 기차가 터널을 완전히 통과하는 데 이동한 거리는 터널의 길이와 기차의 길이를 더한 것과 같습니다.

예 길이가 450 m이고 1분에 1.5 km를 가는 기차가 터널을 완전히 통과하는 데 1분 30초가 걸렸을 때, 터널의 길이 구하기

① 1분 30초 $= 1\dfrac{30}{60}$ 분 $= 1\dfrac{1}{2}$ 분 $= 1.5$ 분

② (기차가 이동한 거리) $= 1.5 \times 1.5 = 2.25$ (km)

③ (터널의 길이) $=$ (기차가 움직인 거리) $-$ (기차의 길이)

$= 2.25 - \underset{\underset{450\,\text{m}=0.45\,\text{km}}{\lfloor}}{0.45} = 1.8$ (km)

터널에 들어가서 끝까지 빠져나와야 완전히 통과한 것이에요.

활동 문제 1분에 1.2 km를 가는 기차가 터널을 완전히 통과하는 데 걸린 시간을 보고 기차의 길이가 0.25 km일 때 터널의 길이를 구해 보세요.

❶
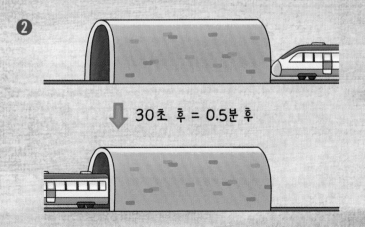
45초 후 = 0.75분 후

(기차가 이동한 거리)

$= 1.2 \times \boxed{} = \boxed{}$ (km)

(터널의 길이)

$= \boxed{} - 0.25 = \boxed{}$ (km)

❷
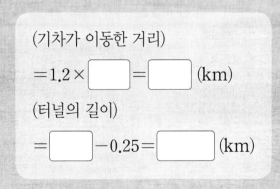
30초 후 = 0.5분 후

(기차가 이동한 거리)

$= 1.2 \times \boxed{} = \boxed{}$ (km)

(터널의 길이)

$= \boxed{} - 0.25 = \boxed{}$ (km)

1-1 1시간 동안 52.5 km만큼 가는 빠르기로 달리는 차가 있습니다. 이 차가 같은 빠르기로 1시간 30분 동안 달린다면 몇 km를 가는지 구해 보세요.

(   )

❶ 1시간 30분을 시간 단위로 바꾸어 나타냅니다.
❷ 1시간 동안 이동하는 거리에 ❶에서 구한 시간을 곱합니다.

1-2 1시간 동안 62.8 km만큼 가는 빠르기로 달리는 차가 있습니다. 이 차가 같은 빠르기로 2시간 45분 동안 달린다면 몇 km를 가는지 구해 보세요.

(1) 2시간 45분은 몇 시간인지 소수로 나타내어 보세요.

(   )

(2) 차가 2시간 45분 동안 가는 거리를 구해 보세요.

(   )

1-3 1시간 동안 74.5 km만큼 가는 빠르기로 달리는 차가 있습니다. 이 차가 같은 빠르기로 54분 동안 달린다면 몇 km를 가는지 구해 보세요.

54분을 시간 단위로 바꾸면 $\boxed{}$ 시간입니다. ⌐소수로 나타냅니다.

➡ (차가 54분 동안 가는 거리)=(1시간 동안 이동하는 거리)×(이동하는 시간)

$=\boxed{}\times\boxed{}=\boxed{}$ (km)

2-1 1분에 1.2 km를 가는 기차가 터널을 완전히 통과하는 데 1분 42초가 걸렸습니다. 기차의 길이가 320 m일 때 터널의 길이는 몇 km인지 구해 보세요.

↓ 1분 42초 후

단위에 주의해요!

(   )

- 구하려는 것: 터널의 길이
- 주어진 조건: 기차가 1분에 1.2 km를 감, 기차가 터널을 통과하는 데 1분 42초가 걸림, 기차의 길이가 320 m
- 해결 전략: ❶ 1분 42초를 분 단위로 나타내기
  ❷ 기차가 이동한 거리 구하기
  ❸ 기차가 이동한 거리에서 기차의 길이를 빼어 터널의 길이 구하기

✎ 구하려는 것(〰〰)과 주어진 조건(──)에 표시해 봅니다.

2-2 1분에 2.1 km를 가는 기차가 터널을 완전히 통과하는 데 48초가 걸렸습니다. 기차의 길이가 380 m일 때 터널의 길이는 몇 km인지 구해 보세요.

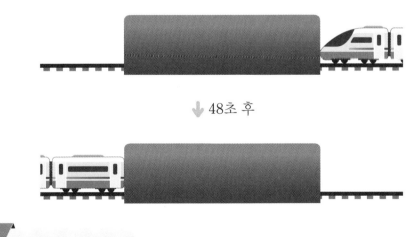

↓ 48초 후

해결 전략

❶ 기차가 이동한 거리 구하기
❷ 기차가 이동한 거리에서 기차의 길이를 빼어 터널의 길이 구하기

(   )

1 은호가 1시간 동안 3.6 km를 가는 빠르기로 1시간 6분을 걸었습니다. 병호는 은호가 걸은 거리의 1.3배만큼 더 걸었을 때 병호가 걸은 거리는 몇 km인지 구해 보세요.

창의 · 융합

( )

2 20분 동안 26.7 km만큼 가는 빠르기로 달리는 차가 있습니다. 이 차가 같은 빠르기로 1시간 24분을 달린다면 몇 km를 가는지 구해 보세요.

추론

( )

3 1분에 1.7 cm씩 일정한 빠르기로 타는 양초가 있습니다. 이 양초에 불을 붙이고 2분 42초 후에 껐더니 양초의 길이가 10.8 cm가 되었습니다. 처음 양초의 길이는 몇 cm인지 구해 보세요.

문제 해결

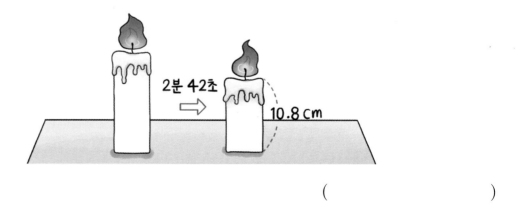

( )

4
추론

길이가 320 m로 같은 두 기차가 같은 지점에서 출발하여 서로 반대 방향으로 달리려고 합니다. 왼쪽으로 가는 기차는 1분에 1.4 km를 가고 오른쪽으로 가는 기차는 1분에 1.9 km를 갑니다. 45초가 지난 후 두 기차가 출발점으로부터 떨어진 거리의 합을 구해 보세요.

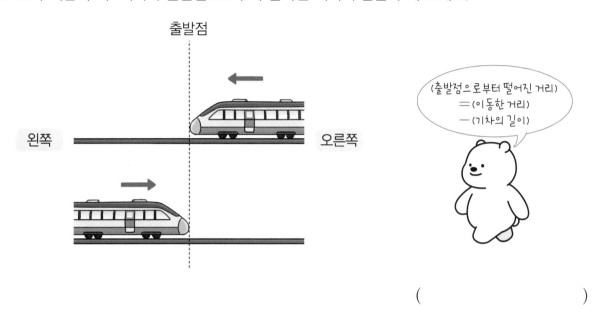

(출발점으로부터 떨어진 거리)
= (이동한 거리)
— (기차의 길이)

(   )

5
문제 해결

가 자동차는 1시간 18분, 나 자동차는 1시간 36분, 다 자동차는 2시간 15분을 주어진 빠르기로 달렸습니다. 이동한 거리가 긴 자동차부터 순서대로 기호를 써 보세요.

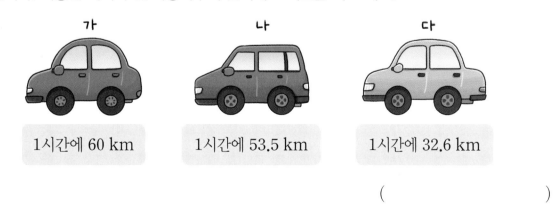

가	나	다
1시간에 60 km	1시간에 53.5 km	1시간에 32.6 km

(   )

① **튀어 오른 공의 높이 구하기**

어떤 공을 떨어뜨렸을 때 튀어 오른 높이가 떨어진 높이의 ▢라면

(공이 첫 번째로 튀어 오른 높이)＝(떨어진 높이)×▢

(공이 두 번째로 튀어 오른 높이)＝(공이 첫 번째로 튀어 오른 높이)×▢

$\qquad\qquad\qquad\qquad\qquad\qquad\qquad$＝(떨어진 높이)×▢×▢

(공이 △번째로 튀어 오른 높이)＝(떨어진 높이)×$\overbrace{▢×▢×\cdots\cdots×▢}^{△개}$입니다.

예 떨어진 높이의 0.5배만큼 튀어 오르는 공을 20 m에서 떨어뜨렸을 때 두 번째로 튀어 오른 높이 구하기

(공이 두 번째로 튀어 오른 높이)＝(떨어진 높이)×0.5×0.5

$\qquad\qquad\qquad\qquad\qquad\qquad\qquad$＝20×0.5×0.5＝10×0.5＝5 (m)

활동 문제 공을 떨어뜨리면 떨어진 높이의 0.3배만큼 튀어 오릅니다. 이 공을 30 m 높이에서 떨어뜨렸을 때 첫 번째, 두 번째, 세 번째로 튀어 오른 높이를 각각 구해 보세요.

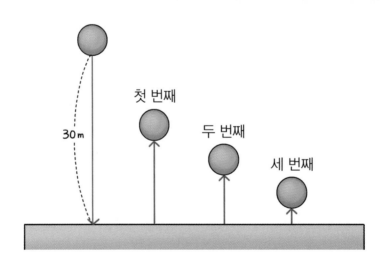

❶ (공이 첫 번째로 튀어 오른 높이)＝▢×0.3＝▢ (m)

❷ (공이 두 번째로 튀어 오른 높이)＝▢×0.3＝▢ (m)

❸ (공이 세 번째로 튀어 오른 높이)＝▢×0.3＝▢ (m)

2 같은 소수를 여러 번 곱할 때 오른쪽 끝자리 숫자의 규칙 찾기

소수를 여러 번 곱해 보면서 오른쪽 끝자리 숫자가 어떻게 반복되는지 알아봅니다.

예 0.2를 여러 번 곱할 때 오른쪽 끝자리 숫자의 규칙 찾기

순서	곱셈식
첫째	0.$\boxed{2}$
둘째	$0.2 \times 0.2 = 0.0\boxed{4}$
셋째	$0.2 \times 0.2 \times 0.2 = 0.00\boxed{8}$
넷째	$0.2 \times 0.2 \times 0.2 \times 0.2 = 0.001\boxed{6}$
다섯째	$0.2 \times 0.2 \times 0.2 \times 0.2 \times 0.2 = 0.0003\boxed{2}$

첫째와 다섯째의 오른쪽 끝자리 숫자가 같아요.

규칙: 0.2를 곱할 때마다 곱의 소수점 아래 자리 수가 한 자리씩 늘어나고 오른쪽 끝자리 숫자가 2, 4, 8, 6이 반복됩니다.

활동 문제 곱셈식의 규칙을 찾아 다섯째에 알맞은 곱셈식에서 곱의 오른쪽 끝자리 숫자를 구해 보세요.

❶

순서	곱셈식
첫째	0.5
둘째	$0.5 \times 0.5 = 0.25$
셋째	$0.5 \times 0.5 \times 0.5 = 0.125$
넷째	$0.5 \times 0.5 \times 0.5 \times 0.5 = 0.0625$

다섯째에 알맞은 곱셈식에서 곱의 오른쪽 끝자리 숫자는 $\boxed{}$입니다.

❷

순서	곱셈식
첫째	0.4
둘째	$0.4 \times 0.4 = 0.16$
셋째	$0.4 \times 0.4 \times 0.4 = 0.064$
넷째	$0.4 \times 0.4 \times 0.4 \times 0.4 = 0.0256$

다섯째에 알맞은 곱셈식에서 곱의 오른쪽 끝자리 숫자는 $\boxed{}$입니다.

1-1 다음과 같이 0.8을 10번 곱했을 때 곱의 오른쪽 끝자리 숫자를 구해 보세요.

$$0.8 \times 0.8 \times 0.8 \times 0.8 \times 0.8 \times 0.8 \times 0.8 \times 0.8 \times 0.8 \times 0.8$$

(   )

❶ 0.8을 여러 번 곱해 보면서 곱의 오른쪽 끝자리 숫자가 반복되는 규칙을 찾아봅니다.

❷ 규칙을 이용하여 0.8을 10번 곱했을 때 곱의 오른쪽 끝자리 숫자를 구합니다.

1-2 0.9를 15번 곱했을 때 곱의 오른쪽 끝자리 숫자를 구해 보세요. (단, 0.9를 1번 곱한 값은 0.9입니다.)

$$0.9, \quad 0.9 \times 0.9 = \boxed{}, \quad 0.9 \times 0.9 \times 0.9 = \boxed{} \cdots$$

곱의 오른쪽 끝자리 숫자가 $\boxed{}$, $\boxed{}$이/가 반복되므로 0.9를 15번 곱했을 때 곱의 오른쪽 끝자리 숫자는 $\boxed{}$입니다.

1-3 2.4를 100번 곱했을 때 곱의 오른쪽 끝자리 숫자를 구해 보세요. (단, 2.4를 1번 곱한 값은 2.4입니다.)

(1) ☐ 안에 알맞은 수를 써넣으세요.

$$2.4, \quad 2.4 \times 2.4 = \boxed{}, \quad 2.4 \times 2.4 \times 2.4 = \boxed{} \cdots$$

(2) 2.4를 곱할 때마다 곱의 오른쪽 끝자리 숫자는 어떻게 변하는지 규칙을 설명해 보세요.

규칙 _____

(3) 2.4를 100번 곱했을 때 곱의 오른쪽 끝자리 숫자를 구해 보세요.

(   )

2-1 정수는 12.8 m 높이에서 공을 떨어뜨렸습니다. 공이 떨어진 높이의 0.75배만큼 튀어 오를 때 세 번째로 튀어 오른 높이는 몇 m인지 구해 보세요.

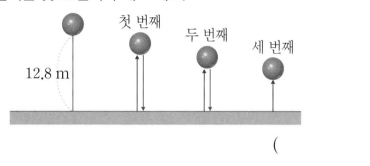

(   )

- 구하려는 것: 공이 세 번째로 튀어 오른 높이
- 주어진 조건: 12.8 m에서 공을 떨어뜨림, 공이 떨어진 높이의 0.75배만큼 튀어 오름
- 해결 전략: 공이 처음 떨어진 높이에 0.75를 튀어 오른 횟수만큼 곱합니다.

✎ 구하려는 것(〰)과 주어진 조건(──)에 표시해 봅니다.

2-2 지유는 27.5 m 높이에서 공을 떨어뜨렸습니다. 공이 떨어진 높이의 0.8배만큼 튀어 오를 때 세 번째로 튀어 오른 높이는 몇 m인지 구해 보세요.

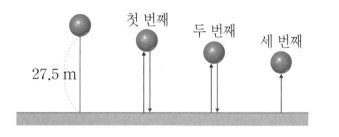

▶ **해결 전략**

공이 처음 떨어진 높이에 0.8 을 튀어 오른 횟수만큼 곱합 니다.

(   )

2-3 대희는 30 m 높이에서 공을 떨어뜨렸습니다. 공이 떨어진 높이의 0.6배만큼 튀어 오를 때 네 번째로 튀어 오른 높이는 몇 m인지 구해 보세요.

(   )

1 규칙적인 곱셈식을 보고 여섯째에 알맞은 곱셈식의 계산 결과를 구해 보세요.

추론

순서	곱셈식
첫째	$101 \times 1.1 = 111.1$
둘째	$20.2 \times 1.1 = 22.22$
셋째	$3.03 \times 1.1 = 3.333$
넷째	$0.404 \times 1.1 = 0.4444$

소수점의 위치를 알아보아요.

(   )

2 보기 와 같은 방법으로 7.5를 넣고 계산했을 때 나오는 값을 빈 곳에 써넣으세요.

코딩

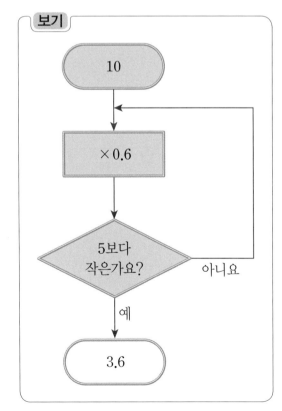

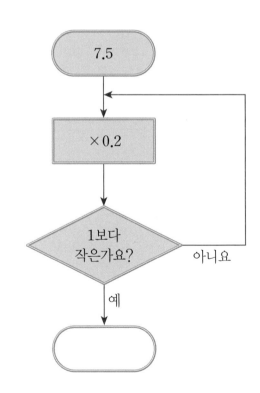

▶ 정답 및 해설 23쪽

3
추론

다음과 같이 규칙적으로 소수가 배열되어 있습니다. 18번째 줄에 있는 소수를 모두 곱했을 때 곱의 오른쪽 끝자리 숫자를 구해 보세요.

0.1 ◄—— 1번째 줄

0.2 0.2 ◄—— 2번째 줄

0.3 0.3 0.3 ◄—— 3번째 줄

0.4 0.4 0.4 0.4

⋮

(   )

4
문제 해결

민희는 다음과 같이 21.6 m 높이에서 공을 밀어서 떨어뜨렸습니다. 공이 떨어진 높이의 0.5배 만큼 튀어 올랐을 때 ㉠을 구해 보세요.

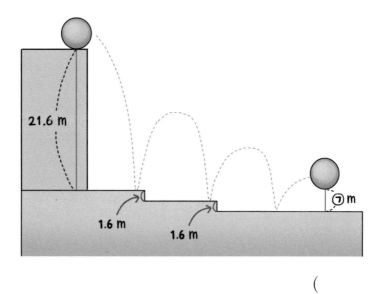

(   )

❶ 정육면체 모양의 상자를 묶는 데 사용한 끈의 길이 구하기

정육면체의 모서리의 길이와 평행한 끈의 개수를 구합니다.

(끈의 길이)＝(정육면체의 한 모서리의 길이)×(모서리와 평행한 끈의 개수)

예 한 모서리의 길이가 6 cm인 정육면체 모양의 상자를 다음과 같이 끈으로 묶었을 때 사용한 끈의 길이 구하기

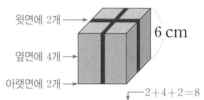

윗면에 2개
옆면에 4개
아랫면에 2개

6 cm

2+4+2=8

보이지 않는 끈도 생각해요!

① 모서리와 평행한 끈의 개수: 8개

② (끈의 길이)＝(정육면체의 한 모서리의 길이)×(모서리와 평행한 끈의 개수)

$$=6×8=48 \text{ (cm)}$$

활동 문제 정육면체 모양의 상자를 묶는 데 사용한 끈의 길이를 구하려고 합니다. ☐ 안에 알맞은 수를 써넣으세요.

❶

4 cm

(끈의 길이)＝☐×8＝☐ (cm)

❷

5 cm

(끈의 길이)＝5×☐＝☐ (cm)

❸
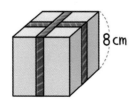
8 cm

(끈의 길이)＝☐×8＝☐ (cm)

❹
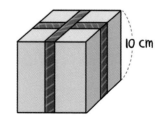
10 cm

(끈의 길이)＝10×☐＝☐ (cm)

2 **직육면체 모양의 상자를 묶는 데 사용한 끈의 길이 구하기**

사용한 끈의 길이는 각 모서리와 평행한 끈의 개수를 구해 더합니다.

예 직육면체 모양의 상자를 끈으로 묶었을 때 사용한 끈의 길이

구하기

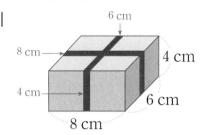

① 길이가 8 cm인 모서리와 평행한 끈의 개수: 2개

길이가 6 cm인 모서리와 평행한 끈의 개수: 2개

길이가 4 cm인 모서리와 평행한 끈의 개수: 4개

② (끈의 길이)＝8×2＋6×2＋4×4＝44 (cm)

활동 문제 직육면체 모양의 상자를 묶는 데 사용한 끈의 길이를 구하려고 합니다. ☐ 안에 알맞은 수를 써넣으세요.

❶

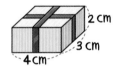

(끈의 길이)＝4×2＋3×☐＋☐×4

＝☐ (cm)

❷

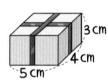

(끈의 길이)＝5×2＋☐×2＋3×☐

＝☐ (cm)

❸

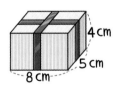

(끈의 길이)

＝8×☐＋5×☐＋4×☐

＝☐ (cm)

❹

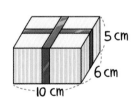

(끈의 길이)

＝10×☐＋6×☐＋5×☐

＝☐ (cm)

1-1 직육면체 모양의 상자를 끈으로 묶었습니다. 매듭을 묶는 데 18 cm를 사용하였다면 사용한 끈 전체의 길이는 몇 cm인지 구해 보세요.

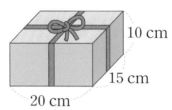

(   )

● 각 모서리와 평행한 끈의 개수를 구합니다.
● (사용한 끈 전체의 길이)＝(각 모서리와 평행한 끈의 길이의 합)＋(매듭을 묶는 데 사용한 끈의 길이)

1-2 직육면체 모양의 상자를 끈으로 묶었습니다. 매듭을 묶는 데 11 cm를 사용하였다면 사용한 끈 전체의 길이는 몇 cm인지 구해 보세요.

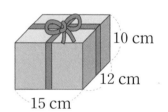

(사용한 끈 전체의 길이)

$=15\times\boxed{}+12\times\boxed{}+10\times\boxed{}+\boxed{}$

$=\boxed{}$ (cm)

1-3 직육면체 모양의 상자를 끈으로 묶었습니다. 매듭을 묶는 데 10 cm를 사용하였다면 사용한 끈 전체의 길이는 몇 cm인지 구해 보세요.

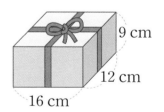

(1) 길이가 16 cm, 12 cm, 9 cm인 모서리와 평행한 끈의 개수를 각각 구해 보세요.

길이가 16 cm인 모서리와 평행한 끈의 개수 (   )

길이가 12 cm인 모서리와 평행한 끈의 개수 (   )

길이가 9 cm인 모서리와 평행한 끈의 개수 (   )

(2) 사용한 끈 전체의 길이는 몇 cm인지 구해 보세요.

(   )

2-1 경호는 친구에게 생일 선물을 주기 위해 정육면체 모양의 상자에 선물을 넣어 포장하고 있습니다. 상자의 한 모서리의 길이는 20 cm이고 매듭을 묶는 데 15 cm를 사용하였다면 사용한 끈 전체의 길이는 몇 cm인지 구해 보세요.

경호

(   )

- 구하려는 것: 사용한 끈 전체의 길이
- 주어진 조건: 정육면체 모양의 상자의 한 모서리의 길이, 매듭을 묶는 데 사용한 끈의 길이
- 해결 전략: ❶ 정육면체의 한 모서리의 길이와 모서리에 평행한 끈의 개수를 곱하기
          ❷ ❶에서 구한 길이와 매듭을 묶는 데 사용한 끈의 길이를 더하기

✎ 구하려는 것(〜〜)과 주어진 조건(———)에 표시해 봅니다.

2-2 현우는 동생에게 선물을 주기 위해 정육면체 모양의 상자에 선물을 넣어 포장하고 있습니다. 상자의 한 모서리의 길이는 12 cm이고 매듭을 묶는 데 8 cm를 사용하였다면 사용한 끈 전체의 길이는 몇 cm인지 구해 보세요.

현우

해결 전략

상자의 모서리와 평행한 끈의 길이의 합과 매듭을 묶는 데 사용한 끈의 길이를 더합니다.

(   )

2-3 진수가 포장한 정육면체 모양의 상자입니다. 상자의 한 모서리의 길이가 9 cm이고 매듭을 묶는 데 13 cm를 사용하였다면 사용한 끈 전체의 길이는 몇 cm인지 구해 보세요.

9 cm

(   )

1 추론

모든 모서리의 길이의 합이 92 cm인 직육면체가 있습니다. ☐ 안에 알맞은 수를 써넣으세요.

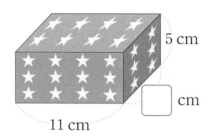

5 cm

☐ cm

11 cm

2 문제 해결

직육면체 모양의 상자에 사용한 끈의 길이를 찾아 선으로 연결해 보세요. (단, 매듭을 묶는 데 사용한 끈의 길이는 생각하지 않습니다.)

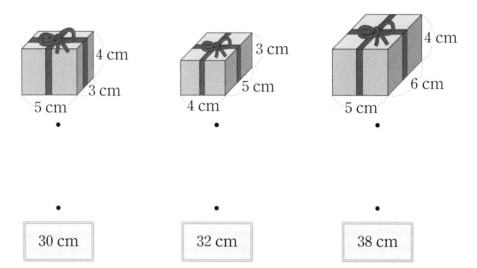

4 cm	3 cm	4 cm
3 cm	5 cm	6 cm
5 cm	4 cm	5 cm

•   •   •

•   •   •

30 cm   32 cm   38 cm

3 문제 해결

정육면체 모양의 상자를 묶는 데 사용한 끈의 길이는 몇 cm인지 구해 보세요.

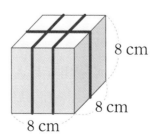

8 cm

8 cm

8 cm

(   )

4
추론

다음 조건 을 모두 만족하는 직육면체는 몇 가지인지 구해 보세요. (단, 돌렸을 때의 모양이 같으면 한 가지로 생각합니다.)

조건

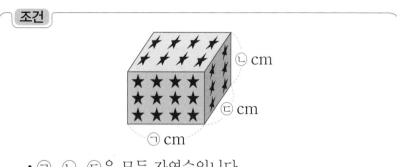

- ㉠, ㉡, ㉢은 모두 자연수입니다.
- ㉠, ㉡, ㉢은 서로 다른 수입니다.
- 직육면체의 모든 모서리의 길이의 합이 40 cm입니다.

(   )

5
창의·융합

직육면체 모양의 상자와 정육면체 모양의 상자를 포장하는 데 사용한 끈의 길이는 같습니다. 정육면체 모양 상자의 한 모서리의 길이는 몇 cm인지 구해 보세요. (단, 매듭을 묶는 데 사용한 끈의 길이는 생각하지 않습니다.)

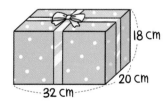

(   )

1 보물을 찾던 탐험대가 보물 상자를 찾았습니다. 그런데 보물 상자는 소수가 적힌 자물쇠로 단단히 잠겨 있습니다. 계산 결과가 자물쇠에 적힌 수와 같은 열쇠를 찾아 ○표 하세요. 문제 해결

| 0.76×5.5 | 12.8×0.4 | 2.75×1.8 | 6.2×0.9 |

2 주희네 반 친구들이 특별 활동 시간에 작은 꽃밭을 가꾸었습니다. 다음 중 가장 넓은 꽃밭을 가꾼 친구를 찾아 이름을 써 보세요. 추론

(   )

3 민호가 인터넷에서 친구의 생일 선물을 주문하였더니 다음과 같은 직육면체 모양의 종이 상자에 담겨 배송이 되었습니다. 상자를 위, 앞, 옆에서 본 모양을 보고 상자의 모든 모서리의 길이의 합을 구해 보세요. 추론

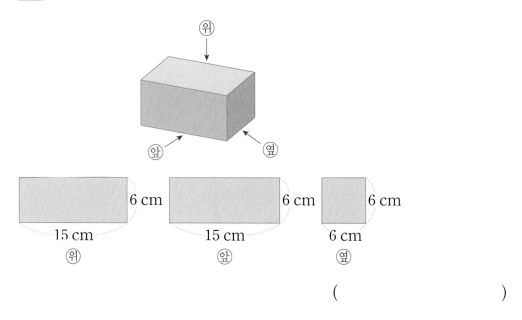

(   )

4 지아는 수수깡을 이용하여 오른쪽과 같이 한 모서리의 길이가 8 cm인 정육면체 모양을 만들었습니다. 지아가 만든 정육면체 모양의 모든 모서리의 길이의 합은 몇 cm인지 구해 보세요. 문제 해결

(   )

5 표준 체중이란 각 개인의 나이, 성별, 키에 따른 적당한 체중을 말하는데 일반적으로 몸무게가 표준 체중의 1.2배 이상이면 비만이므로 관리가 필요합니다. 성진이의 키는 145 cm입니다. 물음에 답하세요. 창의·융합

① 성진이의 표준 체중은 몇 kg인지 구해 보세요.

(   )

② 성진이의 몸무게가 48 kg일 때 알맞은 말에 ◯표 하세요.

성진이는 비만이 (맞습니다 , 아닙니다).

6 볼링을 칠 때 사용하는 볼링공에는 8, 9, 10 등과 같은 수가 적혀 있습니다. 이는 볼링공의 무게를 파운드 단위로 나타낸 것입니다. 1 파운드가 0.45 kg일 때, 6이 적힌 볼링공과 15가 적힌 볼링공의 무게의 차는 몇 kg인지 구해 보세요. 문제 해결

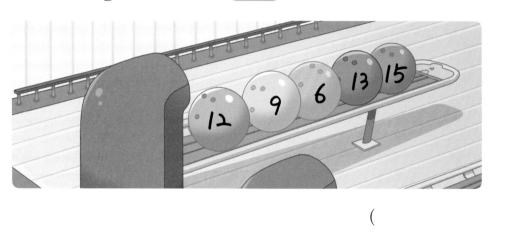

(   )

7 태양과 태양 주변을 돌고 있는 여러 행성들을 '태양계'라고 합니다. 지구는 여러 행성 중의 하나로 지구의 반지름을 1로 보았을 때 해왕성의 반지름은 3.9입니다. 지구의 반지름이 6400 km일 때 해왕성의 반지름은 몇 km인지 구해 보세요. 창의·융합

(   )

8 각 나라에서 사용하는 돈은 모양뿐만 아니라 값어치도 다릅니다. 그래서 나라들끼리 돈을 맞바꿀 때 서로 얼마에 바꾸어야 할지를 정해 놓고 있는데 이를 환율이라고 합니다. 표를 보고 물음에 답하세요. 창의·융합

우리나라 돈 1000원으로 바꿀 수 있는 돈

미국	중국	유럽 연합
0.92달러	5.92위안	0.75유로

❶ 우리나라 돈 5000원을 몇 달러로 바꿀 수 있는지 구해 보세요.

( )

❷ 우리나라 돈 10000원을 몇 위안으로 바꿀 수 있는지 구해 보세요.

( )

❸ 우리나라 돈 46000원을 몇 유로로 바꿀 수 있는지 구해 보세요.

( )

9 ★에 8을 입력했을 때, 출력되어 끝으로 나오는 값은 얼마인지 구해 보세요. 코딩

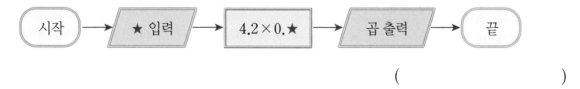

( )

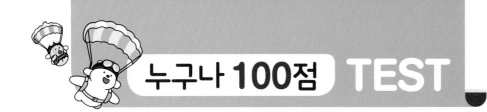
1 정다각형의 둘레를 구해 보세요.

4.8 cm

(   )

2 실제 무게의 0.92배로 표시되는 고장 난 저울이 있습니다. 무게가 26 kg인 물건을 저울에 올려놓았을 때 표시되는 무게는 몇 kg인지 구해 보세요.

(   )

[3~4] 공책과 연필의 가격표를 보고 물음에 답하세요.

공책 1권
(1400×0.8)원

연필 1자루
(500×1.3)원

3 공책 1권의 가격을 구해 보세요.

(   )

4 연필 3자루의 가격을 구해 보세요.

(   )

5 1시간 동안 76.5 km를 가는 빠르기로 달리는 차가 있습니다. 이 차가 같은 빠르기로 2시간 30분 동안 달린다면 몇 km를 가는지 구해 보세요.

( )

6 곱셈식에서 규칙을 찾아 여섯째에 알맞은 곱셈식에서 곱의 오른쪽 끝자리 숫자를 구해 보세요.

순서	곱셈식
첫째	0.3
둘째	$0.3 \times 0.3 = 0.09$
셋째	$0.3 \times 0.3 \times 0.3 = 0.027$
넷째	$0.3 \times 0.3 \times 0.3 \times 0.3 = 0.0081$
다섯째	$0.3 \times 0.3 \times 0.3 \times 0.3 \times 0.3 = 0.00243$

( )

7 직육면체 모양의 상자를 다음과 같이 끈으로 묶었습니다. 매듭을 묶는 데 9 cm를 사용하였다면 사용한 끈 전체의 길이는 몇 cm인지 구해 보세요.

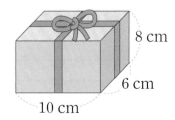

8 cm

6 cm

10 cm

( )

만화로 미리 보기

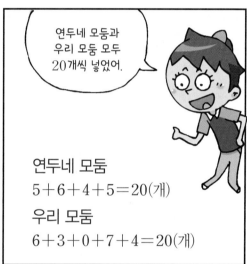

연두네 모둠
$5+6+4+5=20$(개)

우리 모둠
$6+3+0+7+4=20$(개)

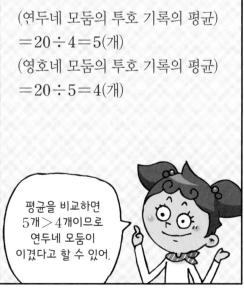

(연두네 모둠의 투호 기록의 평균)
$=20÷4=5$(개)

(영호네 모둠의 투호 기록의 평균)
$=20÷5=4$(개)

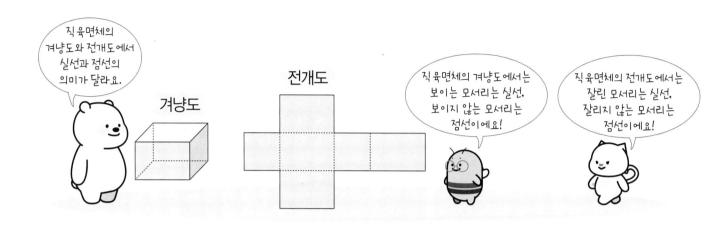

확인 문제

1-1 그림에서 빠진 부분을 그려 넣어 직육면체의 겨냥도를 완성해 보세요.

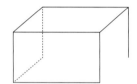

한번 더

1-2 그림에서 빠진 부분을 그려 넣어 직육면체의 겨냥도를 완성해 보세요.

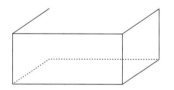

2-1 직육면체의 겨냥도를 보고 전개도를 그려 보세요.

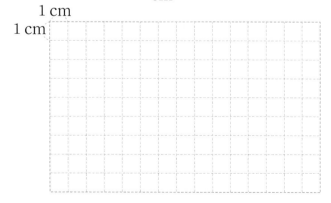

2-2 직육면체의 겨냥도를 보고 전개도를 그려 보세요.

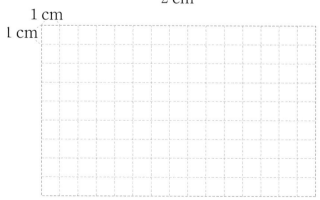

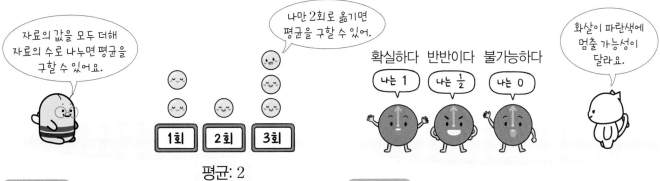

자료의 값을 모두 더해 자료의 수로 나누면 평균을 구할 수 있어요.

나만 2회로 옮기면 평균을 구할 수 있어.

1회 2회 3회
평균: 2

확실하다 반반이다 불가능하다
나는 1 나는 $\frac{1}{2}$ 나는 0

화살이 파란색에 멈출 가능성이 달라요.

확인 문제

3-1 정기의 과녁 맞히기 점수를 나타낸 표입니다. 점수의 평균을 구해 보세요.

정기의 과녁 맞히기 점수

회	1회	2회	3회	4회	5회
점수(점)	2	5	8	6	9

( )

한번 더

3-2 철호의 시험 점수를 나타낸 표입니다. 점수의 평균을 구해 보세요.

철호의 시험 점수

회	국어	수학	사회	과학
점수(점)	86	98	80	92

( )

4-1 회전판을 보고 물음에 답하세요.

(1) 회전판에서 화살이 빨간색에 멈출 가능성을 수로 표현해 보세요.

( )

(2) 회전판에서 화살이 파란색에 멈출 가능성을 수로 표현해 보세요.

( )

4-2 회전판을 보고 물음에 답하세요.

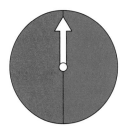

(1) 회전판에서 화살이 빨간색에 멈출 가능성을 수로 표현해 보세요.

( )

(2) 회전판에서 화살이 파란색에 멈출 가능성을 수로 표현해 보세요.

( )

1 정육면체를 쌓아서 만들 수 있는 직육면체

예 똑같은 정육면체 4개를 쌓아서 만들 수 있는 직육면체

다음과 같이 2가지 모양으로 직육면체를 만들 수 있습니다.

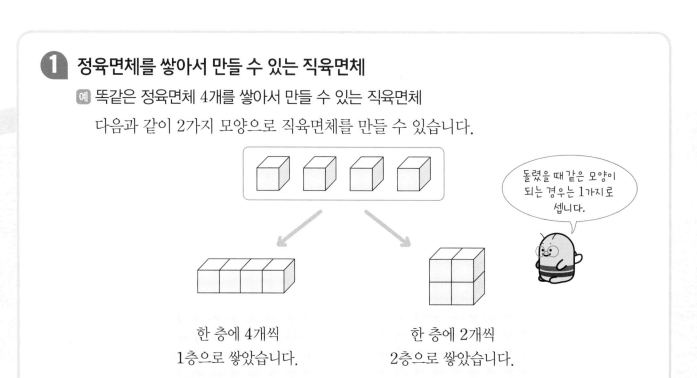

돌렸을 때 같은 모양이 되는 경우는 1가지로 셉니다.

한 층에 4개씩
1층으로 쌓았습니다.

한 층에 2개씩
2층으로 쌓았습니다.

활동 문제   정육면체 8개를 쌓아서 만든 직육면체입니다. 정육면체의 수를 세어 ☐ 안에 알맞은 수를 써넣으세요.

❶
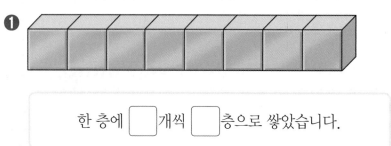

한 층에 ☐개씩 ☐층으로 쌓았습니다.

❷
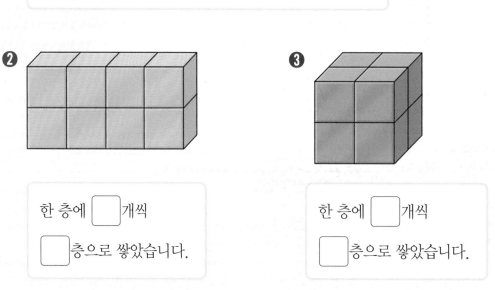

한 층에 ☐개씩
☐층으로 쌓았습니다.

❸

한 층에 ☐개씩
☐층으로 쌓았습니다.

❷ 직육면체를 쌓아서 만들 수 있는 가장 작은 정육면체

예 세 모서리의 길이가 1 cm, 2 cm, 4 cm인 직육면체를 쌓아서 가장 작은 정육면체를 만들었을 때 사용한 직육면체의 개수 구하기

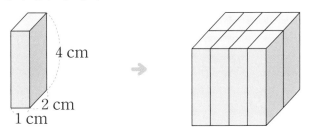

만들 수 있는 가장 작은 정육면체의 한 모서리의 길이는 4 cm입니다.

➡ 사용한 직육면체는 모두 $4 \times 2 \times 1 = 8$(개)입니다.

4주
1일

활동 문제   직육면체를 쌓아서 가장 작은 정육면체를 만들었습니다. 사용한 직육면체는 모두 몇 개인지 구해 보세요.

❶

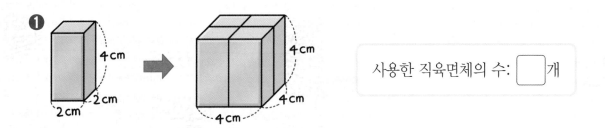

사용한 직육면체의 수: ☐ 개

❷

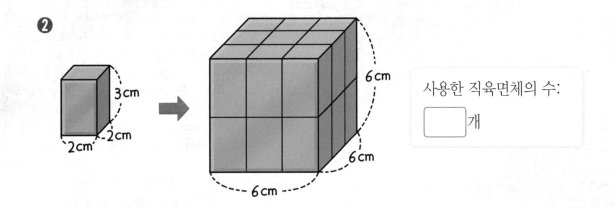

사용한 직육면체의 수: ☐ 개

1-1 다음과 같이 직육면체를 쌓아서 가장 작은 정육면체를 만들었습니다. 만든 정육면체의 모든 모서리의 길이의 합은 몇 cm인지 구해 보세요.

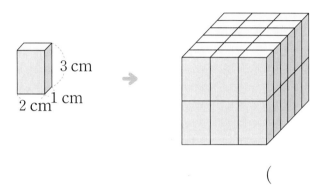

( )

❶ 만든 정육면체의 한 모서리의 길이를 구합니다.
❷ 만든 정육면체의 모든 모서리의 길이의 합을 구합니다.
  (정육면체의 모든 모서리의 길이의 합)=(한 모서리의 길이)×12

1-2 다음과 같이 직육면체를 쌓아서 가장 작은 정육면체를 만들었습니다. 만든 정육면체의 모든 모서리의 길이의 합은 몇 cm인지 구해 보세요.

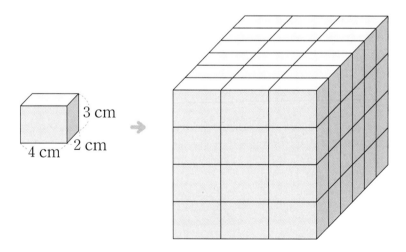

(1) 만든 정육면체의 한 모서리의 길이를 구해 보세요.

( )

(2) 만든 정육면체의 모든 모서리의 길이의 합을 구해 보세요.

( )

2-1 똑같은 정육면체가 12개 있습니다. 정육면체 12개를 모두 쌓아서 큰 직육면체를 만들려고 합니다. 정육면체 12개로 만들 수 있는 서로 다른 직육면체는 모두 몇 가지인지 구해 보세요.

(단, 돌렸을 때 같은 모양이 되는 경우는 1가지로 셉니다.)

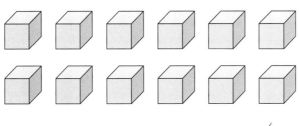

(　　　　　　　)

- 구하려는 것: 만들 수 있는 서로 다른 직육면체의 가짓수
- 주어진 조건: 똑같은 정육면체 12개를 모두 쌓아서 큰 직육면체를 만들려고 함, 돌렸을 때 같은 모양이 되는 경우는 1가지로 셈.
- 해결 전략: ❶ 정육면체 12개로 만들 수 있는 큰 직육면체 만들어 보기
　　　　　 ❷ 만든 직육면체의 가짓수 세기

✎ 구하려는 것(﹏﹏)과 주어진 조건(——)에 표시해 봅니다.

2-2 똑같은 정육면체가 9개 있습니다. 정육면체 9개를 모두 쌓아서 큰 직육면체를 만들려고 합니다. 정육면체 9개로 만들 수 있는 서로 다른 직육면체는 모두 몇 가지인지 구해 보세요. (단, 돌렸을 때 같은 모양이 되는 경우는 1가지로 셉니다.)

> **해결 전략**
>
> 정육면체 9개로 만들 수 있는 큰 식육면체를 만들어 보고 가짓수를 셉니다.

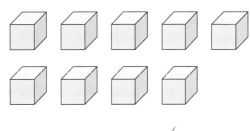

(　　　　　　　)

2-3 똑같은 정육면체 10개를 모두 쌓아서 만들 수 있는 서로 다른 직육면체는 모두 몇 가지인지 구해 보세요. (단, 돌렸을 때 같은 모양이 되는 경우는 1가지로 셉니다.)

(　　　　　　　)

1 직육면체 모양의 과자 상자 안에 정육면체 모양의 과자를 넣으려고 합니다. 과자 상자 안에 과자가 몇 개까지 들어가는지 구해 보세요. (단, 상자의 두께는 무시합니다.)

문제해결

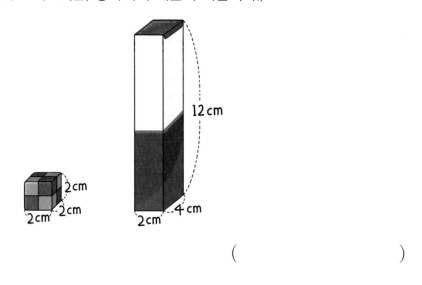

(   )

2 직육면체 모양의 두부 한 모를 다음과 같이 똑같은 직육면체로 잘랐습니다. 잘린 두부 하나의 모든 모서리의 길이의 합을 구해 보세요.

창의 · 융합

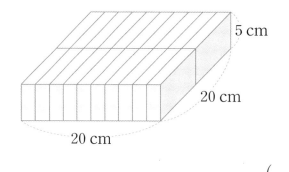

(   )

3 직육면체 1개와 똑같은 정육면체 2개를 모두 쌓아서 큰 직육면체를 만들려고 합니다. 서로 다른 직육면체는 모두 몇 가지인지 구해 보세요. (단, 돌렸을 때 같은 모양이 되는 경우는 1가지로 셉니다.)

추론

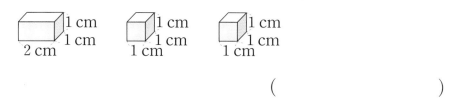

(   )

4
창의·융합

한 모서리의 길이가 2 cm인 똑같은 정육면체 8개를 쌓아서 가장 작은 정육면체를 만들었을 때 모든 모서리의 길이의 합을 구해 보세요.

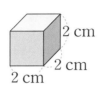

(   )

 5
창의·융합

직육면체 모양의 초콜릿 케이크를 그림과 같이 나누었을 때 초콜릿 크림이 묻지 않은 면은 모두 몇 개인지 구해 보세요. (단, 초콜릿 크림은 바닥 면을 제외한 겉면에 모두 묻어 있습니다.)

(1) 나눈 케이크의 면의 수는 모두 몇 개인지 구해 보세요.

(   )

(2) 초콜릿 크림이 묻은 면의 수를 구해 보세요.

(   )

(3) 초콜릿 크림이 묻지 않은 면의 수를 구해 보세요.

(   )

1 접었을 때 마주 보는 면의 수의 합이 같은 정육면체의 전개도 완성하기

전개도에서 마주 보는 면을 찾아 합이 같도록 표시합니다.

예 전개도를 접었을 때 마주 보는 면의 수의 합이 7인 정육면체의 전개도 완성하기

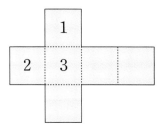

전개도를 그리는 방법은 여러 가지입니다.

① 전개도를 접었을 때 마주 보는 면 3쌍을 각각 찾습니다.

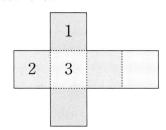

② 전개도를 접었을 때 마주 보는 면의 수의 합이 7이 되도록 수를 써넣습니다.

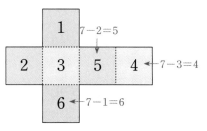

활동 문제 전개도를 접었을 때 마주 보는 면끼리 같은 모양이 있도록 전개도의 빈 곳에 무늬를 그려 넣으세요.

❶
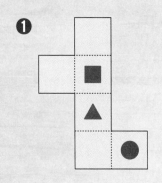

❷
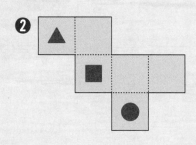

❸
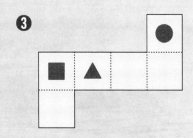

❹
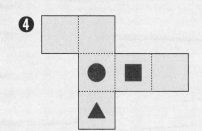

② 여러 방향에서 본 정육면체의 전개도 완성하기

예

   →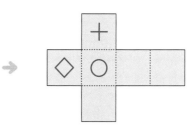

• 첫 번째와 두 번째를 보면 ◇와 ●, ＋와 ■는 마주 보는 면입니다.
• 첫 번째와 세 번째를 보면 ○와 □가 마주 보는 면입니다.
• 마주 보는 면이 구한 것과 같도록 전개도를 완성합니다.

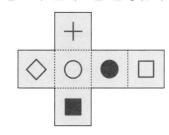

정육면체를 보고
면 사이의 관계를
파악해요!

활동 문제 정육면체를 보고 정육면체의 전개도를 바르게 그린 것을 찾아 ○표 하세요.

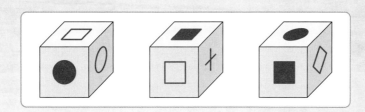

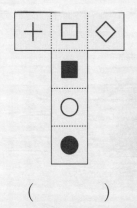 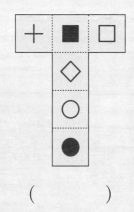 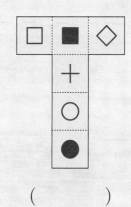

(   ) (   ) (   )

1-1 전개도를 접어서 정육면체를 만들었을 때 마주 보는 면의 수의 합이 모두 같습니다. 전개도의 빈 곳에 수를 알맞게 써넣으세요.

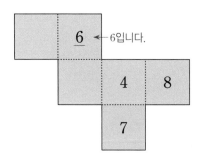

❶ 전개도에서 마주 보는 면을 찾습니다.
❷ 마주 보는 면의 수의 합을 구합니다.
❸ 정육면체의 전개도에 수를 써넣습니다.

1-2 전개도를 접어서 정육면체를 만들었을 때 마주 보는 면의 수의 합이 모두 같습니다. 전개도의 빈 곳에 수를 알맞게 써넣으세요.

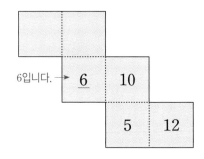

(1) 전개도를 접었을 때 12가 써 있는 면과 마주 보는 면의 수는 얼마인가요?

(   )

(2) 정육면체에서 마주 보는 면의 수의 합은 얼마인가요?

(   )

(3) 전개도의 빈 곳에 수를 알맞게 써넣으세요.

2-1 지애는 정육면체 모양 상자의 면 6개를 서로 다른 색으로 색칠하였습니다. 이 정육면체의 전개도의 빈 곳을 알맞게 색칠해 보세요.

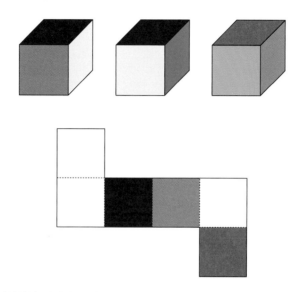

- 구하려는 것: 정육면체의 알맞은 전개도
- 주어진 조건: 정육면체에 칠한 색, 전개도의 모양
- 해결 전략: ❶ 정육면체에서 마주 보는 면의 색 알아보기

  ❷ 전개도에서 마주 보는 면을 알아보고 알맞게 색칠하기

✎ 구하려는 것(〰〰)과 주어진 조건(──)에 표시해 봅니다.

2-2 선우는 정육면체 모양 상자의 면 6개를 서로 다른 색으로 색칠하였습니다. 이 정육면체의 전개도의 빈 곳을 알맞게 색칠해 보세요.

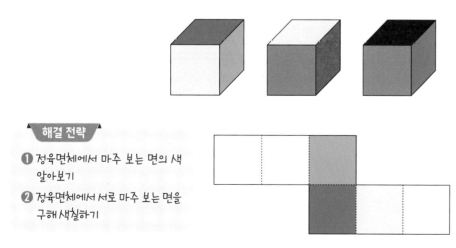

▶ **해결 전략**

❶ 정육면체에서 마주 보는 면의 색 알아보기

❷ 정육면체에서 서로 마주 보는 면을 구해 색칠하기

1 다음 정육면체의 전개도를 접어 정육면체를 만들었습니다. ㉠, ㉡, ㉢ 중 어느 것인지 찾아 기호를 써 보세요.

문제 해결

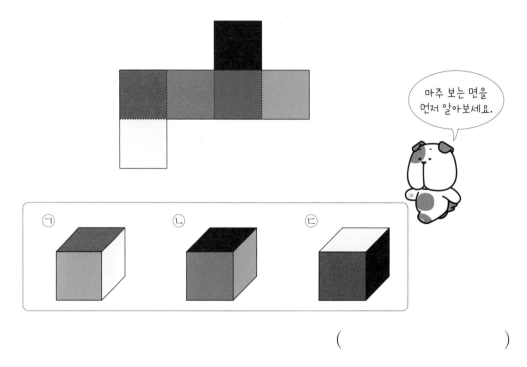

마주 보는 면을 먼저 알아보세요.

(   )

2 정육면체의 위, 아래의 면에 선을 그었습니다. 그은 선을 전개도에 나타내어 보세요.

추론

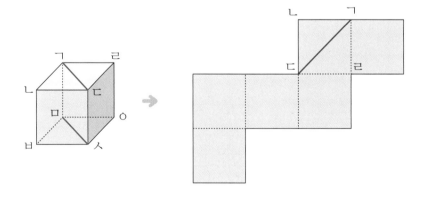

3 추론

전개도를 접어서 정육면체를 만들었을 때 마주 보는 면의 수의 곱이 모두 같도록 전개도의 빈 곳에 수를 알맞게 써넣으세요. (단, 수는 모두 서로 다른 자연수입니다.)

(1)
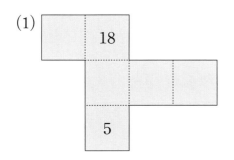

마주 보는 면의 수의 곱을 먼저 구해요.

(2)

4 창의·융합

왼쪽 정육면체의 전개도를 접어서 만든 정육면체 9개를 면끼리 붙여 놓은 후 위에서 본 모양이 오른쪽과 같았습니다. 오른쪽 모양에서 바닥에 닿은 면에 적힌 수의 합을 구해 보세요.

위에서 본 모양

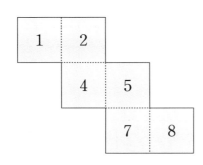

4	7	8
7	5	2
4	1	5

(   )

1 평균이 주어졌을 때 모르는 자료의 값 구하기

(모르는 자료의 값)

＝(모든 자료의 값의 합)－(아는 자료의 값의 합)

＝(평균)×(자료의 수)－(아는 자료의 값의 합)과 같습니다.

예 영우의 시험 점수의 평균이 82점일 때 수학 점수 구하기

영우의 시험 점수

과목	국어	수학	영어
점수(점)	80		90

자료의 값의 합은
(평균)×(자료의 수)
입니다.

국어와 영어 점수의 합: $80+90=170$

➡ (수학 점수)$=82×3-170=246-170=76$(점)

활동 문제 세 사람의 시험 점수의 평균이 모두 90점입니다. 알맞은 수학 점수를 찾아 선으로 연결해 보세요.

2 추가된 자료의 값 구하기

* □개 자료의 평균이 ■이고 자료의 값이 추가되어 평균이 ●만큼 늘어난 경우

  ➡ (추가된 자료의 값)＝■＋●×(□＋1)

* □개 자료의 평균이 ■이고 자료의 값이 추가되어 평균이 ●만큼 줄어든 경우

  ➡ (추가된 자료의 값)＝■－●×(□＋1)

  예 세 과목의 시험 점수의 평균이 80점이고 과학 점수를 추가했더니 평균이 82점이 되었을 때 과학 점수 구하기

  과학 점수가 추가되어 평균이 2점 늘어났습니다.

  ➡ (과학 점수)＝80＋2×(3＋1)＝80＋2×4＝80＋8＝88(점)

4주
3일

활동 문제 ❶ 세 과목의 시험 점수의 평균이 70점일 때 수학 점수 90점을 추가한다면 평균이 몇 점이 되는지 구해 보세요.

$(평균)＝(70 × \boxed{} ＋90) ÷ \boxed{}$

$＝\boxed{} ÷ \boxed{}$

$＝\boxed{} (점)$

활동 문제 ❷ 두 과목의 시험 점수의 평균이 90점일 때 수학 점수 78점을 추가한다면 평균이 몇 점이 되는지 구해 보세요.

$(평균)＝(90 × \boxed{} ＋\boxed{}) ÷ \boxed{}$

$＝\boxed{} ÷ \boxed{}$

$＝\boxed{} (점)$

1-1 세 사람의 몸무게의 평균은 41.4 kg입니다. 영진이의 몸무게를 빈 곳에 써넣으세요.

세 사람의 몸무게

사람	진서	다영	영진
몸무게(kg)	43.2	40.8	

- (몸무게의 합)＝(평균)×(사람 수)
- 몸무게의 합에서 진서와 다영이의 몸무게의 합을 빼어 영진이의 몸무게를 구합니다.

1-2 세 사람의 몸무게의 평균은 42.3 kg입니다. 다혜의 몸무게는 몇 kg인지 구해 보세요.

세 사람의 몸무게

사람	진우	수정	다혜
몸무게(kg)	42.9	41.1	

세 사람의 몸무게의 합은 42.3 × ▢ = ▢ (kg)이고 진우와 수정이의 몸무게의 합

은 ▢ kg이므로 다혜의 몸무게는 ▢ − ▢ = ▢ (kg)입니다.

1-3 네 사람의 몸무게의 평균은 42.7 kg입니다. 정수의 몸무게를 구해 보세요.

네 사람의 몸무게

사람	혜진	유영	경록	정수
몸무게(kg)	41.8	43.2	44.2	

(1) 네 사람의 몸무게의 합을 구해 보세요. ( )

(2) 정수를 제외한 나머지 세 사람의 몸무게의 합을 구해 보세요.

( )

(3) 정수의 몸무게를 구해 보세요. ( )

2-1 정우네 모둠 학생들이 가지고 있는 딱지 수를 나타낸 표입니다. 민호가 정우네 모둠으로 들어가면 정우네 모둠 학생들이 가지고 있는 딱지 수의 평균은 3장 더 많아집니다. 민호가 가지고 있는 딱지는 몇 장인지 구해 보세요.

정우네 모둠 학생들이 가지고 있는 딱지 수

사람	정우	민지	진희	경수	다정
딱지 수(장)	10	13	15	8	9

(   )

4주
3일

- 구하려는 것: 민호가 가지고 있는 딱지의 수
- 주어진 조건: 정우네 모둠 학생들이 가지고 있는 딱지 수, 민호가 정우네 모둠으로 들어가면 딱지 수의 평균이 3장 많아짐
- 해결 전략: ❶ 정우네 모둠 학생들이 가지고 있는 딱지 수의 평균 구하기
  　　　　　❷ ❶에서 구한 값을 이용하여 민호가 가지고 있는 딱지의 수 구하기

✎ 구하려는 것(〰)과 주어진 조건(──)에 표시해 봅니다.

2-2 경호네 모둠 학생들이 가지고 있는 딱지 수를 나타낸 표입니다. 현규가 경호네 모둠으로 들어가면 경호네 모둠 학생들이 가지고 있는 딱지 수의 평균은 2장 더 적어집니다. 현규가 가지고 있는 딱지의 수는 몇 장인지 구해 보세요.

해결 전략

❶ 경호네 모둠 학생들이 가지고 있는 딱지 수의 평균 구하기
❷ ❶에서 구한 값을 이용하여 답 구하기

경호네 모둠 학생들이 가지고 있는 딱지 수

사람	경호	우정	민희	영수
딱지 수(장)	12	15	8	21

(   )

1
추론

광수가 국어, 수학, 영어 시험 점수의 평균을 구했더니 74점이었습니다. 사회와 과학 시험 점수를 각각 81점, 77점을 받았을 때 다섯 과목의 시험 점수의 평균을 구해 보세요.

( )

2
문제 해결

유진이와 세진이가 줄넘기를 한 기록을 나타낸 표입니다. 두 사람의 줄넘기 기록의 평균이 같을 때 세진이가 5회에 줄넘기를 몇 번 했는지 구해 보세요.

유진이의 줄넘기 기록

회	1회	2회	3회	4회
기록(번)	26	32	17	25

세진이의 줄넘기 기록

회	1	2	3	4	5
기록(번)	30	28	16	22	

( )

3
문제 해결

예은이네 모둠 친구들의 수학 시험 점수를 나타낸 표입니다. 세 사람의 점수의 평균이 92점이고 예은이의 점수가 연주의 점수보다 4점 높다고 할 때 예은이의 수학 점수는 몇 점인지 구해 보세요.

예은이네 모둠 친구들의 수학 시험 점수

학생	예은	연주	민수
점수(점)			88

( )

▶정답 및 해설 28쪽

4 창의·융합

최대 탑승 무게가 900 kg인 엘리베이터에 8명이 탔습니다. 다음 층에서 4명이 더 타서 최대 탑승 무게보다 100 kg 적었다면 다음 층에서 탄 4명의 몸무게의 평균을 구해 보세요.

처음에 엘리베이터에 탄 8명의 몸무게

62 kg	84 kg	67 kg	78 kg
70 kg	45 kg	72 kg	82 kg

(　　　　　　　　　　)

4주
3일

5 추론

연지네 모둠 학생들이 가지고 있는 딱지 수를 나타낸 표입니다. 재우가 가지고 있는 딱지 수를 더했더니 딱지 수의 평균이 20장보다 많고 22장보다 적었습니다. 재우가 가지고 있는 딱지 수의 범위를 구해 보세요.

연지네 모둠 학생들이 가지고 있는 딱지 수

학생	연지	준우	미영	철수
딱지 수(장)	17	26	15	18

[　　]장 초과 [　　]장 미만

1 두 자료의 평균이 주어졌을 때 전체 평균 구하기

	평균	자료 수(개)
자료 1	■	□
자료 2	▲	△

두 자료의 평균을 더해서 2로 나누면 안 돼요!

□개 자료의 값의 평균이 ■이고, △개 자료의 값의 평균이 ▲이면

(자료의 합)＝■×□＋▲×△이므로 전체 평균은

(■×□＋▲×△)÷(□＋△)와 같습니다.

전체 자료 값의 합   전체 자료의 수

예 싱희네 모둠 학생들의 키의 평균이 표와 같을 때 전체 평균 구하기

남학생 2명의 키의 평균	150 cm
여학생 3명의 키의 평균	140 cm

남학생 2명의 키의 평균이 150 cm이고 여학생 3명의 키의 평균이 140 cm이므로
전체 평균은 (150×2＋140×3)÷(2＋3)＝720÷5＝144 (cm)입니다.

활동 문제 학생들의 키를 보고 알맞은 평균을 찾아 선으로 연결해 보세요.

남학생들의 키(cm)	여학생들의 키(cm)
142 145 146 147	140 144

남학생들의
키의 평균 •

여학생들의
키의 평균 •

전체 학생들의
키의 평균 •

• 142 cm

• 144 cm

• 145 cm

② 전체 평균과 부분의 평균이 주어졌을 때 나머지 부분의 평균 구하기

전체 □개 자료의 값의 평균이 ■이고, □개 중에서 △개 자료의 값의 평균이 ▲이면
나머지 (□－△)개의 평균은 (■×□－▲×△)÷(□－△)와 같습니다.

예 주희네 모둠 학생들의 키의 평균이 표와 같을 때 주희네 모둠 여학생 2명의 키의 평균
구하기

주희네 모둠 전체 5명의 키의 평균	150 cm
주희네 모둠 남학생 3명의 키의 평균	152 cm

전체 5명의 키의 평균이 150 cm이고 남학생 3명의 키의 평균이 152 cm이므로
여학생 2명의 키의 평균은 (150×5－152×3)÷2＝294÷2＝147 (cm)입니다.

4주
4일

활동 문제 과녁 맞히기 놀이를 했습니다. 나중에 쏜 2명의 점수의 평균을 구해 보세요.

❶

(　　　　　　　　　)

❷

(　　　　　　　　　)

1-1 지수네 모둠 학생들의 몸무게의 평균이 다음과 같습니다. 지수네 모둠 전체 학생들의 몸무게의 평균을 구해 보세요.

| 남학생 3명의 몸무게의 평균 | 43.8 kg |
| 여학생 2명의 몸무게의 평균 | 39.3 kg |

(   )

❶ 남학생 3명의 몸무게의 합을 구합니다.
❷ 여학생 2명의 몸무게의 합을 구합니다.
❸ 전체 학생들의 몸무게의 합을 전체 학생 수로 나눕니다.

1-2 지혜네 모둠 학생들의 몸무게의 평균이 다음과 같습니다. 지혜네 모둠 전체 학생들의 몸무게의 평균을 구해 보세요.

| 남학생 5명의 몸무게의 평균 | 44.5 kg |
| 여학생 3명의 몸무게의 평균 | 40.5 kg |

(1) 남학생 5명의 몸무게의 합을 구해 보세요.

(   )

(2) 여학생 3명의 몸무게의 합을 구해 보세요.

(   )

(3) 지혜네 모둠 전체 학생들의 몸무게의 합을 구해 보세요.

(   )

(4) 지혜네 모둠은 모두 몇 명인지 구해 보세요.

(   )

(5) 지혜네 모둠 전체 학생들의 몸무게의 평균을 구해 보세요.

(   )

2-1 가희네 반 30명의 수학 시험 점수의 평균은 76점입니다. 이 중 10명의 수학 시험 점수의 평균이 82점일 때 나머지 학생들의 수학 시험 점수의 평균을 구해 보세요.

우리 반 수학 성적의 평균이 76점이에요.

(   )

- 구하려는 것: 나머지 학생들의 수학 시험 점수의 평균
- 주어진 조건: 가희네 반 30명의 수학 시험 점수의 평균, 그중 10명의 수학 시험 점수의 평균이 82점
- 해결 전략: ❶ 가희네 반 30명의 수학 시험 점수의 합 구하기
  ❷ 평균이 82점인 학생 10명의 수학 시험 점수의 합 구하기
  ❸ 나머지 학생들의 수학 시험 점수의 합을 구한 후 평균 구하기

✎ 구하려는 것(～～)과 주어진 조건(——)에 표시해 봅니다.

4주
4일

2-2 연수네 반 20명의 수학 시험 점수의 평균은 70점입니다. 이 중 5명의 수학 시험 점수의 평균이 85점일 때 나머지 학생들의 수학 시험 점수의 평균을 구해 보세요.

> **해결 전략**
> ❶ 연수네 반 20명의 수학 시험 점수의 합과 5명의 수학 시험 점수의 합 구하기
> ❷ 두 합을 이용하여 나머지 학생들의 수학 시험 점수의 평균 구하기

(   )

2-3 인수네 반 30명의 키의 평균은 148 cm입니다. 이 중 6명의 키의 평균이 144 cm일 때 나머지 학생들의 키의 평균을 구해 보세요.

(   )

1
추론

세 반 학생들의 몸무게의 평균을 구해 보세요.

1반	
학생 수 (명)	18
몸무게의 평균(kg)	43

2반	
학생 수 (명)	20
몸무게의 평균(kg)	41.9

3반	
학생 수 (명)	22
몸무게의 평균(kg)	44

각 반의 몸무게의 합을 구해서 전체 학생 수로 나누어요.

( )

2
문제 해결

성우, 어머니, 아버지가 2명씩 몸무게를 재어 평균을 구했습니다. 3명의 몸무게의 평균을 구해 보세요.

어머니와 저의 몸무게의 평균은 48 kg이에요.

성우   어머니

성우와 저의 몸무게의 평균은 58 kg이에요.

아버지

두 사람의 몸무게의 평균은 62 kg이에요.

(1) 두 사람의 몸무게의 합을 각각 구해 보세요.

성우와 어머니 ( )

성우와 아버지 ( )

어머니와 아버지 ( )

(2) 3명의 몸무게의 합을 구해 보세요.

( )

(3) 3명의 몸무게의 평균을 구해 보세요.

( )

▶ 정답 및 해설 29쪽

3 10명의 학생들의 몸무게의 평균이 다음과 같을 때 수지네 모둠 학생들의 몸무게의 평균을 구해 보세요.

학생 10명의 몸무게의 평균	42 kg
지우네 모둠 4명의 몸무게의 평균	41.4 kg
은희네 모둠 3명의 몸무게의 평균	40.8 kg
수지네 모둠 3명의 몸무게의 평균	

(   )

4 학생 7명이 하루에 휴대 전화를 보는 시간의 평균은 72분이고 이 중 남학생 3명이 하루에 휴대 전화를 보는 시간의 평균이 80분입니다. 남학생이 휴대 전화를 보는 시간의 평균은 여학생 4명이 하루에 휴대 전화를 보는 시간의 평균보다 몇 분 더 긴지 구해 보세요.

(   )

5 윤서네 반 학생 수는 18명이고 강호네 반 학생 수는 22명입니다. 두 반의 국어 시험 점수의 평균은 72점이고 강호네 반의 국어 점수의 합이 1692점입니다. 윤서네 반의 국어 시험 점수의 평균을 구해 보세요.

윤서네 반의 점수의 평균을 □점이라 하고 구해 봅니다.

(   )

1 일이 일어날 가능성에 맞게 구슬을 더하거나 빼기

예 주머니에서 구슬 1개를 꺼냈을 때, 꺼낸 구슬이 노란색일 가능성을 수로 표현하면 1이 되도록 만들기

꺼낸 구슬이 노란색일 가능성이 1이려면 노란색 구슬만 있어야 해요.

→ 파란색 구슬 1개를 빼면 노란색 구슬 2개만 주머니에 남습니다.

→ 노란색 구슬이 2개 있는 주머니에서 구슬 1개를 꺼냈을 때, 꺼낸 구슬이 노란색일 가능성은 '확실하다'이므로 수로 표현하면 1입니다.

활동 문제   주머니에 구슬이 있습니다. 구슬 1개를 주머니에서 꺼냈을 때, 꺼낸 구슬이 파란색일 가능성이 $\frac{1}{2}$이 되도록 만들려고 합니다. 주머니에 넣어야 하는 파란 구슬의 개수만큼 ○표 하세요.

❶
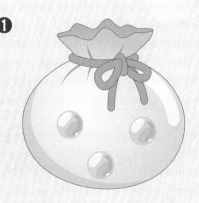

❷
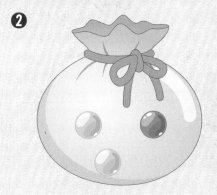

❸
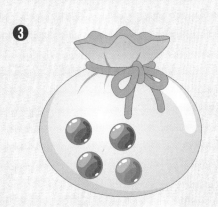

❹
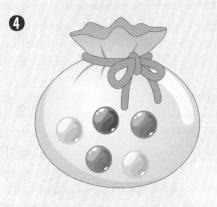

▶ 정답 및 해설 30쪽

2 일이 일어날 가능성 비교하기

같은 조건에서 일이 일어날 경우의 수가 더 많으면 가능성이 더 높습니다.

예 1부터 6까지 있는 주사위를 한 번 던졌을 때 3 이하인 수가 나올 가능성과

3 이상인 수가 나올 가능성 비교하기

• 3 이하인 수: 1, 2, 3 ➡ 3개

• 3 이상인 수: 3, 4, 5, 6 ➡ 4개

따라서 3 이상인 수가 나올 가능성이 3 이하인 수가 나올 가능성보다 더 높습니다.

활동 문제   1부터 9까지의 수 카드 중에서 하나를 골랐을 때 주어진 일이 일어날 가능성이 더 큰 것에 ○표 하세요.

4주
5일

| 1 | , | 2 | , | 3 | , | 4 | , | 5 | , | 6 | , | 7 | , | 8 | , | 9 |

❶   8 이상인 수가 나올 가능성   8 이하인 수가 나올 가능성

(   )   (   )

❷   6 초과인 수가 나올 가능성   3 미만인 수가 나올 가능성

(   )   (   )

❸   홀수일 가능성   짝수일 가능성

(   )   (   )

1-1 4장의 수 카드 중에서 2장을 골라 한 번씩만 사용하여 두 자리 수를 만들었습니다. 만든 두 자리 수가 홀수일 가능성을 말로 표현해 보세요.

2 , 3 , 4 , 6

(   )

❶ 수 카드 2장을 사용하여 만들 수 있는 두 자리 수를 모두 구합니다.

❷ 홀수인 두 자리 수를 찾습니다.

❸ 일이 일어날 가능성을 말로 표현합니다.

1-2 4장의 수 카드 중에서 2장을 골라 한 번씩만 사용하여 두 자리 수를 만들었습니다. 만든 두 자리 수가 홀수일 가능성을 말로 표현해 보세요.

1 , 3 , 7 , 8

(1) 수 카드 2장으로 만들 수 있는 두 자리 수는 모두 몇 개일까요?

(   )

(2) 수 카드 2장으로 만들 수 있는 두 자리 수 중에서 홀수인 두 자리 수는 모두 몇 개일까요?

(   )

(3) 만든 두 자리 수가 홀수일 가능성을 말로 표현해 보세요.

(   )

1-3 4장의 수 카드 1 , 4 , 6 , 9 중에서 2장을 골라 한 번씩만 사용하여 두 자리 수를 만들었습니다. 만든 두 자리 수가 짝수일 가능성을 말로 표현해 보세요.

(1) 수 카드 2장으로 만들 수 있는 두 자리 수와 짝수는 몇 개인지 차례로 써 보세요.

(,   )

(2) 만든 두 자리 수가 짝수일 가능성을 말로 표현해 보세요.

(   )

2-1 주머니 안에 노란색 구슬이 3개, 보라색 구슬이 1개 있습니다. 구슬 1개를 주머니에서 꺼냈을 때, 꺼낸 구슬이 보라색일 가능성이 $\frac{1}{2}$이 되려면 주머니에서 노란색 구슬을 몇 개 빼야 하는지 구해 보세요.

(   )

- 구하려는 것: 빼야 하는 노란색 구슬의 개수
- 주어진 조건: 주머니 안에 있는 노란색 구슬이 3개, 보라색 구슬이 1개, 구슬 1개를 꺼냈을 때 보라색일 가능성이 $\frac{1}{2}$이 되도록 노란색 구슬을 빼야 함
- 해결 전략: 노란색 구슬과 보라색 구슬의 개수가 같도록 빼야 하는 노란색 구슬의 개수를 구합니다.

4주
5일

✎ 구하려는 것(〜〜)과 주어진 조건(———)에 표시해 봅니다.

2-2 주머니 안에 빨간색 구슬이 3개, 파란색 구슬이 4개 있습니다. 구슬 1개를 주머니에서 꺼냈을 때 파란색일 가능성이 $\frac{1}{2}$이 되려면 주머니에 빨간색 구슬을 몇 개 넣어야 하는지 구해 보세요.

해결 전략

빨간색 구슬과 파란색 구슬의 개수가 같게 되도록 더 넣어야 하는 빨간색 구슬의 개수를 구합니다.

(   )

2-3 주머니 안에 파란색 구슬이 10개, 검은색 구슬이 몇 개 있습니다. 주머니에 검은색 구슬을 3개 더 넣은 다음 구슬 1개를 주머니에서 꺼냈을 때, 꺼낸 구슬이 검은색일 가능성이 $\frac{1}{2}$이 되었다면 처음에 검은색 구슬이 몇 개 있었는지 구해 보세요.

(   )

1 주머니 안에 노란색 구슬이 10개, 초록색 구슬이 3개, 파란색 구슬이 4개 있습니다. 구슬 1개를
문제 해결 주머니에서 꺼냈을 때, 꺼낸 구슬이 노란색일 가능성이 $\frac{1}{2}$이고, 파란색일 가능성이 $\frac{1}{2}$이 되려면
노란색 구슬과 초록색 구슬을 주머니에서 각각 몇 개씩 빼야 하는지 구해 보세요.

초록색일 가능성은
0이에요.

노란색 구슬 (   )

초록색 구슬 (   )

2 진구가 유나와 보드 게임을 하고 있습니다. 진구의 말이 무인도에 갇혔습니다. 주사위 2개를 동
창의 · 융합 시에 던져서 같은 수의 눈이 나오면 탈출할 수 있습니다. 진구의 말이 무인도에서 한 번에 탈출
할 가능성을 찾아 기호를 써 보세요.

← 일이 일어날 가능성이 낮습니다.		일이 일어날 가능성이 높습니다. →	
~ 아닐 것 같다 ㉡		~ 일 것 같다 ㉣	
불가능하다 ㉠	반반이다 ㉢		확실하다 ㉤

(   )

3

다음 수 카드 중 1장을 골랐을 때 8의 약수일 가능성을 수로 표현해 보세요.

$$1, 2, 3, 4, 5, 6, 7, 8$$

(　　　　　　　　)

4

윤아와 정기가 다음과 같이 회전판을 골라서 돌렸을 때 화살이 파란색에 멈출 가능성이 더 큰 쪽이 이기는 놀이를 하고 있습니다. 물음에 답하세요.

(1) 왼쪽은 윤아가 고른 회전판입니다. 정기가 이길 가능성이 더 높으려면 어느 회전판을 골라야 하는지 기호를 써 보세요.

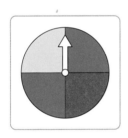　ⓐ 　ⓑ 　ⓒ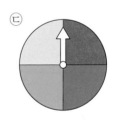

(　　　　　　　　)

(2) 윤아와 정기가 각각 회전판 2개 중 하나를 고르려고 합니다. 누가 이길 가능성이 더 높은지 구해 보세요.

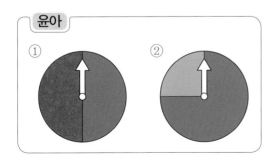　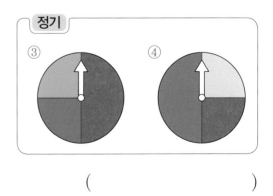

(　　　　　　　　)

1 올바른 정육면체의 전개도를 찾아 길을 따라가 보세요. 문제 해결

2 정답을 찾아 피라미드를 탈출해 보세요. 창의·융합

3 병규는 꽃바구니를 담을 수 있는 상자를 만들려고 합니다.

다음과 같은 직육면체 모양의 상자 안에 들어갈 수 있는 가장 큰 정육면체 모양의 상자를 만들 때 정육면체의 한 모서리의 길이는 몇 cm인지 구해 보세요. 창의·융합 문제 해결

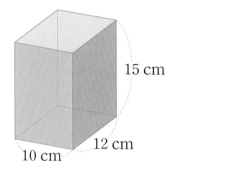

(   )

4 성호네 반에서 추첨을 통해 모둠을 정하려고 합니다. 상자에 검은색 공 12개, 흰색 공 12개를 넣은 후 손을 넣어 공을 꺼낼 때, 같은 색 공을 꺼내는 사람끼리 한 모둠이 됩니다. 맨 처음에 성호가 공 1개 를 꺼낼 때, 꺼낸 공이 흰색일 가능성을 수로 표현해 보세요. 문제 해결

(   )

5 어느 날 오후 남부 지방의 날씨입니다. 지도에 표시된 여섯 지역의 평균 기온은 몇 ℃인지 구해 보세요. 창의·융합

어느 날 오후 남부 지방의 날씨

(   )

6 석진이네 학교의 반별 학생 수를 나타낸 표입니다. 다섯 반이었던 것을 여섯 반으로 늘리려고 할 때 반별 학생 수의 평균을 구해 보세요. 추론

반별 학생 수

반	1반	2반	3반	4반	5반
학생 수(명)	23	26	27	25	19

(   )

7 로봇이 회전판을 돌릴 때 화살이 파란색에 멈출 가능성에 따라 움직입니다. 로봇이 도착한 곳의 기호를 써 보세요. 코딩

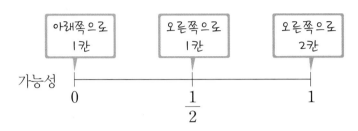

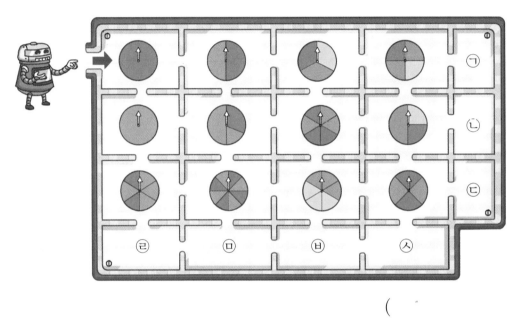

(   )

8 인도의 문명 발굴지에서 발견된 상아와 뼈로 만들어진 주사위는 오늘날의 주사위와는 달리 1과 2, 3과 4, 5와 6이 마주 보고 있다고 합니다. 인도에서 발견된 주사위의 전개도가 될 수 있도록 점을 알맞게 그려 넣으세요. 추론

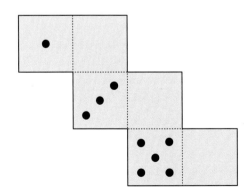

9 다이빙 선수들의 다이빙 점수를 계산하는 방법은 다음과 같습니다. 지연이와 은혜 중 누가 더 높은 점수를 받았는지 구해 보세요. 창의·융합

다이빙 점수를 구하는 방법
① 심판 7명이 준 점수 중에서 가장 높은 점수와 가장 낮은 점수를 제외합니다.
② 나머지 5명의 점수의 평균을 구합니다.
③ 평균과 선수가 실시한 난이도 점수를 곱한 후에 3을 곱합니다.

지연이가 받은 점수

난이도	심판 점수(점)					
2	10	8	9	8.5	3	7	7.5

은혜가 받은 점수

난이도	심판 점수(점)					
2.5	6	9	4.5	7	7.5	8	6.5

① 지연이의 다이빙 점수를 구해 보세요.

(   )

② 은혜의 다이빙 점수를 구해 보세요.

(   )

③ 지연이와 은혜 중 누가 더 높은 점수를 받았는지 구해 보세요.

(   )

4주
특강

1 직육면체를 쌓아서 가장 작은 정육면체를 만들었습니다. 만든 정육면체의 모든 모서리의 길이의 합은 몇 cm인지 구해 보세요.

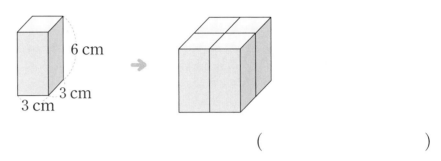

(   )

2 똑같은 정육면체 6개를 모두 쌓아서 1개의 큰 직육면체를 만들려고 합니다. 정육면체 6개로 만들 수 있는 서로 다른 직육면체는 모두 몇 가지인지 구해 보세요. (단, 돌렸을 때 같은 모양이 되는 경우는 1가지로 셉니다.)

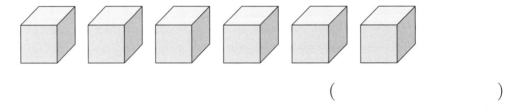

(   )

3 전개도를 접어서 정육면체를 만들었을 때 마주 보는 면의 수의 합이 모두 같도록 전개도에 수를 알맞게 써넣으세요.

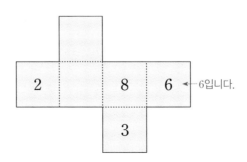

4 연지의 시험 점수의 평균이 80점일 때 수학 점수를 구해 보세요.

연지의 시험 점수

과목	국어	수학	영어	사회	과학
점수(점)	80		82	90	65

(   )

5 현지네 모둠의 수학 점수의 평균이 표와 같습니다. 현지네 모둠 5명의 수학 점수의 평균이 몇 점인지 구해 보세요.

현지네 모둠의 수학 점수의 평균

현지, 민서, 지우의 수학 점수의 평균	75점
지희, 서연의 수학 점수의 평균	65점

(   )

6 수 카드 4장 중에서 2장을 골라 두 자리 수를 만들었을 때 40보다 클 가능성을 말로 표현해 보세요.

(   )

memo

초등 수학 기초 학습 능력 강화 교재

2021 신간

하루하루 쌓이는 수학 자신감!

똑똑한 하루
수학 시리즈

우리 아이 공부습관 프로젝트! 초1~초6

하루 수학 (총 6단계, 12권)

하루 계산 (총 6단계, 12권)

하루 도형 (총 6단계, 6권)

하루 사고력 (총 6단계, 12권)

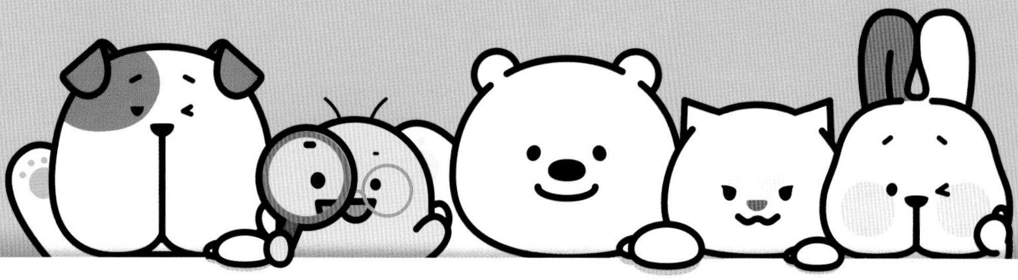

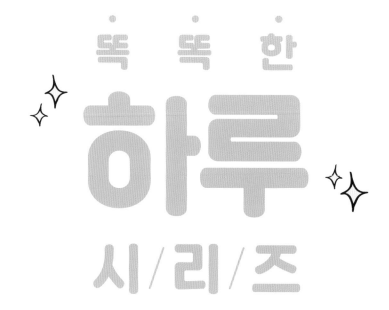

똑똑한 하루 시리즈

쉽다!

10분이면 하루치 공부를 마칠 수 있는 커리큘럼으로,
아이들이 초등 학습에 쉽고 재미있게 접근할 수 있도록 구성하였습니다.

재미있다!

교과서는 물론 생활 속에서 쉽게 접할 수 있는 다양한 소재와
재미있는 게임 형식의 문제로 흥미로운 학습이 가능합니다.

똑똑하다!

초등학생에게 꼭 필요한 학습 지식 습득은 물론
창의력 확장까지 가능한 교재로 올바른 공부습관을 가지는 데 도움을 줍니다.

정답 및 해설

똑똑한
하루
사고력

초등
수학 **5B**
5학년 수준

천재교육

정답 및 해설
포인트 ❸가지

▶ 한눈에 알아볼 수 있는 정답 제시

▶ 혼자서도 이해할 수 있는 문제 풀이

▶ 꼭 필요한 사고력 유형 풀이 제시

똑 똑 한

하루
사고력

창의·융합·서술·코딩

정답 및 해설

초등
수학 **5 B**
5학년 수준

1주

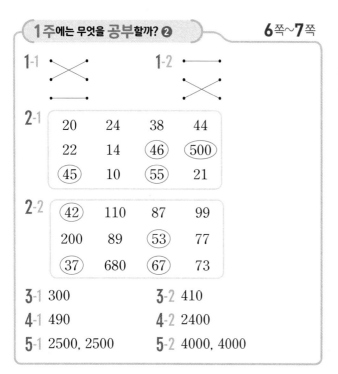

1-1

1-2

2-1

20	24	38	44
22	14	㊼	㊿⁰⁰
㊺	10	㊼⁵	21

20 24 38 44
22 14 ⑭⑥ ⑤⓪⓪
㊺ 10 ⑤⑤ 21

2-2

㊷	110	87	99
200	89	㊾	77
㊲	680	㊻	73

3-1 300   **3-2** 410

4-1 490   **4-2** 2400

5-1 2500, 2500   **5-2** 4000, 4000

1-1 8보다 큰 수는 8 초과인 수, 8보다 작은 수는 8 미만인 수, 8과 같거나 작은 수는 8 이하인 수입니다.

1-2 9보다 큰 수는 9 초과인 수, 9보다 작은 수는 9 미만인 수, 9와 같거나 큰 수는 9 이상인 수입니다.

2-1 45 이상인 수는 45와 같거나 큰 수입니다.

2-2 67 이하인 수는 67과 같거나 작은 수입니다.

3-1 백의 자리 아래에 0이 아닌 수가 있으므로 백의 자리 수를 2에서 3으로 바꾸고 백의 자리 아래 수를 0으로 바꿉니다.

3-2 십의 자리 아래에 0이 아닌 수가 있으므로 십의 자리 수를 0에서 1로 바꾸고 십의 자리 아래 수를 0으로 바꿉니다.

4-1 십의 자리 아래 수를 모두 0으로 바꿉니다.

4-2 백의 자리 아래 수를 모두 0으로 바꿉니다.

5-1 버림: 백의 자리 아래 수를 모두 0으로 바꿉니다.
반올림: 십의 자리 숫자가 4이므로 백의 자리 아래 수를 버립니다. 따라서 버림한 것과 결과가 같습니다.

5-2 올림: 천의 자리 아래에 0이 아닌 수가 있으므로 천의 자리 숫자를 4로 바꾸고 천의 자리 아래 수를 0으로 바꿉니다.

반올림: 백의 자리 숫자가 6이므로 천의 자리 아래 수를 올립니다. 따라서 올림한 것과 결과가 같습니다.

활동 문제 8쪽
❶ 62   ❷ 92   ❸ 78   ❹ 45
활동 문제 9쪽
❶ 28   ❷ 32   ❸ 93   ❹ 97

활동 문제 8쪽
❶ 62 이상인 수는 62와 같거나 큰 수이므로 범위에서 가장 작은 자연수는 62입니다.
❷ 91 초과인 수는 91보다 큰 수이므로 범위에서 가장 작은 자연수는 91＋1＝92입니다.
❸ 77 초과인 수는 77보다 큰 수이므로 범위에서 가장 작은 자연수는 77＋1＝78입니다.

활동 문제 9쪽
❶ 29 미만인 수는 29보다 작은 수이므로 범위에서 가장 큰 자연수는 29－1＝28입니다.
❷ 32 이하인 수는 32와 같거나 작은 수이므로 범위에서 가장 큰 자연수는 32입니다.
❸ 94 미만인 수는 94보다 작은 수이므로 범위에서 가장 큰 자연수는 94－1＝93입니다.

1-1 10 cm

1-2 (1) 84 (2) 21 cm

1-3 예 56 초과인 수는 56보다 큰 수입니다. 56보다 큰 수 중에서 가장 작은 자연수는 57입니다.
따라서 정삼각형의 한 변의 길이는
57÷3＝19 (cm)입니다. ; 19 cm

2-1 4

2-2 67 초과 98 이하인 자연수 중에서 가장 큰 수를 ㉮, 197 이상 287 미만인 자연수 중에서 가장 작은 수를 ㉯라 할 때 ㉮＋㉯의 값을 구해 보세요.
; 295

2-3 2500

1-1 41 미만인 수는 41보다 작은 수입니다. 41보다 작은 수 중에서 가장 큰 자연수는 40입니다.
따라서 정사각형의 한 변의 길이는 $40 \div 4 = 10$ (cm)입니다.

1-2 (1) 84 이하인 수는 84와 같거나 작은 수이므로 84 이하인 수 중에서 가장 큰 자연수는 84입니다.
(2) $84 \div 4 = 21$ (cm)

2-1 53 이상 61 미만인 자연수 중에서 가장 큰 수는 60이므로 ㉮는 60입니다.
7 초과 15 이하인 자연수 중에서 가장 큰 수는 15이므로 ㉯는 15입니다.
➡ ㉮ $\div$ ㉯ $= 60 \div 15 = 4$

2-2 67 초과 98 이하인 자연수 중에서 가장 큰 수는 98이므로 ㉮는 98입니다.
197 이상 287 미만인 자연수 중에서 가장 작은 수는 197이므로 ㉯는 197입니다.
➡ ㉮ $+$ ㉯ $= 98 + 197 = 295$

2-3 25 이상 78 이하인 자연수 중에서 가장 작은 수는 25이므로 ㉮는 25입니다.
6 초과 101 미만인 자연수 중에서 가장 큰 수는 100이므로 ㉯는 100입니다.
➡ ㉮ $\times$ ㉯ $= 25 \times 100 = 2500$

4 76 이상 220 미만인 자연수 중에서 가장 큰 수는 219이므로 ㉮는 219입니다.
52 초과 73 이하인 자연수 중에서 가장 큰 수는 73이므로 ㉯는 73입니다.
➡ ㉮ $\div$ ㉯ $= 219 \div 73 = 3$

5 17 초과 163 미만인 자연수 중에서 가장 큰 수는 162, 가장 작은 수는 18입니다.
➡ $162 \div 18 = 9$

1일 사고력·코딩   **12쪽~13쪽**

1 27 에 ○표   **2** 121
3 88 cm   **4** 3
5 9

1 27 이상 32 미만인 수는 27과 같거나 크고 32보다 작습니다. 27부터 31까지의 좌석 중에서 가장 오른쪽에 있는 좌석은 27번입니다.

2 120 초과인 수는 120보다 큰 수입니다. 50부터 1씩 커지는 자연수 중에서 120 초과인 가장 작은 수를 구하면 121입니다.

3 265 미만인 수는 265보다 작은 수입니다. 265보다 작은 수 중에서 가장 큰 자연수는 264입니다.
따라서 정삼각형의 한 변의 길이는
$264 \div 3 = 88$ (cm)입니다.

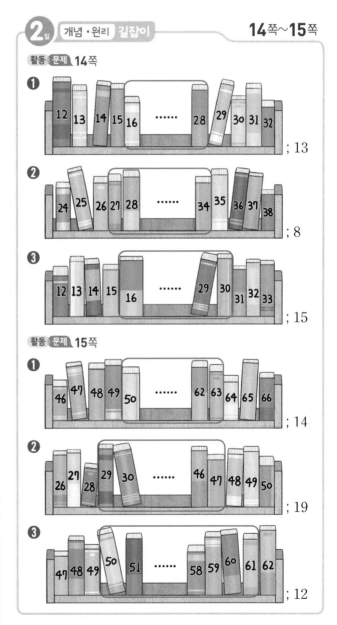

2일 개념·원리 길잡이   **14쪽~15쪽**

활동 문제 **14쪽**

❶ ; 13
❷ ; 8
❸ ; 15

활동 문제 **15쪽**

❶ ; 14
❷ ; 19
❸ ; 12

활동 문제 **14쪽**

❶ 16 이상 28 이하인 자연수의 개수는 $28 - 16 + 1 = 13$입니다.

❷ 27 이상 34 이하인 자연수의 개수는 $34-27+1=8$ 입니다.

❸ 15 초과 31 미만인 자연수의 개수는 $31-1-15=15$ 입니다.

활동 문제 **15**쪽

❶ 50 이상 64 미만인 자연수의 개수는 $64-50=14$입니다.

❷ 28 초과 47 이하인 자연수의 개수는 $47-28=19$입니다.

❸ 49 초과 61 이하인 자연수의 개수는 $61-49=12$입니다.

2일 서술형 길잡이 독해력 길잡이 **16**쪽~**17**쪽

1-1 39

1-2 (1) 예 포함되지 않습니다. (2) 43

1-3 예 수의 범위에 77은 포함되지 않고 ㉠은 포함됩니다. 77 초과 ㉠ 이하인 자연수의 개수가 11개이므로 $㉠-77=11$입니다.
따라서 ㉠은 88입니다. ; 88

2-1 12장

2-2

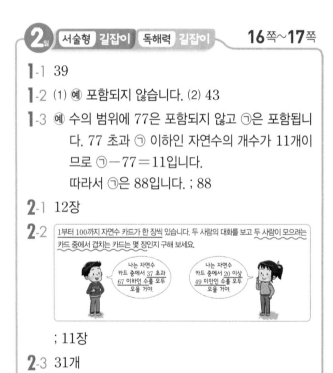

; 11장

2-3 31개

1-1 $45-㉠+1=7$, $45-㉠=6$, $㉠=39$

1-2 (2) $53-1-㉠=9$, $52-㉠=9$, $㉠=43$

2-1 겹치는 범위는 25 초과 37 이하입니다.
25 초과 37 이하인 자연수는 $37-25=12$(개)입니다.

2-2 겹치는 범위는 37 초과 49 미만입니다.
37 초과 49 미만인 자연수는 $49-1-37=11$(개)입니다.

2-3 두 범위에 모두 포함되는 수의 범위는 67 이상 97 이하입니다. 67 이상 97 이하인 자연수는 $97-67+1=31$(개)입니다.

2일 사고력·코딩 **18**쪽~**19**쪽

1 4개   2 76개
3 12개   4 65
5 11장

1 13 초과 18 미만인 번호는 14, 15, 16, 17로 모두 4개입니다.

〔다른 풀이〕
13 초과 18 미만인 자연수는 $18-1-13=4$(개)입니다.

2 ㉡으로 나오는 수는 25 이상이면서 100 초과가 아닌 자연수이므로 25 이상 100 이하인 자연수입니다.
따라서 개수는 $100-25+1=76$(개)입니다.

3 겹치는 범위는 46 초과 59 미만입니다.
46 초과 59 미만인 자연수는 $59-1-46=12$(개)입니다.

4 수의 범위에 52는 포함되고 ◆는 포함되지 않습니다.
$◆-1-52+1=13$이므로 $◆-52=13$, $◆=65$입니다.

5 겹치는 범위는 68 이상 78 이하입니다.
68 이상 78 이하인 자연수는 $78-68+1=11$(개)입니다.

3일 개념·원리 길잡이 **20**쪽~**21**쪽

활동 문제 **20**쪽
❶ 3   ❷ 16   ❸ 4

활동 문제 **21**쪽
❶ 1   ❷ 10   ❸ 5

활동 문제 **20**쪽
❶ 28500을 올림하여 만의 자리까지 나타내면 30000입니다. 따라서 만 원짜리 지폐를 최소 3장 내야 합니다.

❷ 15750을 올림하여 천의 자리까지 나타내면 16000입니다. 따라서 천 원짜리 지폐를 최소 16장 내야 합니다.

❸ 37200을 올림하여 만의 자리까지 나타내면 40000입니다. 따라서 만 원짜리 지폐를 최소 4장 내야 합니다.

활동 문제 **21**쪽
❶ 500원짜리 동전 3개와 100원짜리 동전 4개는 1900원입니다.
➡ 버림하여 천의 자리까지 나타내면 1000이므로 천 원짜리 지폐로 최대 1장까지 바꿀 수 있습니다.

❷ 500원짜리 동전 20개와 100원짜리 동전 5개는 10500 원입니다.
➡ 버림하여 천의 자리까지 나타내면 10000이므로 천 원짜리 지폐로 최대 10장까지 바꿀 수 있습니다.

❸ 500원짜리 동전 100개와 100원짜리 동전 20개는 52000원입니다.
➡ 버림하여 만의 자리까지 나타내면 50000이므로 만 원짜리 지폐로 최대 5장까지 바꿀 수 있습니다.

3일 [서술형] 길잡이 [독해력] 길잡이 **22**쪽~**23**쪽

1-1 17대

1-2 (1) ⓔ 있습니다. (2) 버림 (3) 340개

1-3 ⓔ 관광객이 모두 타야 하므로 올림을 이용합니다. 214를 올림하여 백의 자리까지 나타내면 300 이므로 유람선은 최소 3대가 필요합니다. ; 3대

2-1 80000원

2-2
> 양계장에서 오늘 생산한 달걀은 1087개입니다. 이 달걀을 한 판에 10개씩 들어가는 판에 넣어서 3700원씩 받고 팔려고 합니다. 달걀을 팔아서 받을 수 있는 돈은 최대 얼마인지 구해 보세요.

; 399600원

2-3 154000원

1-1 163을 올림하여 십의 자리까지 나타내면 170이므로 승합차는 최소 17대가 필요합니다.

1-2 341을 버림하여 십의 자리까지 나타내면 340이므로 팔 수 있는 감은 최대 340개입니다.

2-1 한 상자에 10개씩 담으면 상자에 담을 수 있는 파프리카는 165를 버림하여 십의 자리까지 나타낸 160개입니다.
따라서 최대 16상자까지 팔 수 있으므로 받을 수 있는 돈은 최대 $5000 \times 16 = 80000$(원)입니다.

2-2 한 판에 10개씩 담으면 담을 수 있는 달걀은 최대 1080개입니다.
따라서 최대 108판까지 팔 수 있으므로 달걀을 팔아서 받을 수 있는 돈은 최대 $3700 \times 108 = 399600$(원)입니다.

2-3 한 상자에 100개씩 상자에 넣으면 넣을 수 있는 탁구공은 최대 2200개입니다.
따라서 최대 22상자까지 팔 수 있으므로 오늘 만든 탁구공을 팔아서 받을 수 있는 돈은 최대 $7000 \times 22 = 154000$(원)입니다.

3일  사고력·코딩 **24**쪽~**25**쪽

1 (1) 1장 (2) 2장   **2** 3장   **3** 7장

4 50대   **5** 69000원

1 (1) 천 원짜리 지폐 10장은 10000원이고, 500원짜리 동전 16개는 8000원, 100원짜리 동전 14개는 1400 원입니다.
따라서 모두 19400원이고, 19400을 버림하여 만의 자리까지 나타내면 10000이므로 만 원짜리 지폐로 최대 1장까지 바꿀 수 있습니다.

(2) 천 원짜리 지폐 14장은 14000원이고, 500원짜리 동전 20개는 10000원, 100원짜리 동전 10개는 1000원입니다.
따라서 모두 25000원이고, 25000을 버림하여 만의 자리까지 나타내면 20000이므로 만 원짜리 지폐로 최대 2장까지 바꿀 수 있습니다.

2 2200을 올림하여 천의 자리까지 나타내면 3000이므로 천 원짜리 지폐를 최소 3장 내야 합니다.

3 과자의 값을 모두 더하면
$1400 + 2300 + 3200 = 6900$(원)입니다.
6900을 올림하여 천의 자리까지 나타내면 7000이므로 천 원짜리 지폐를 최소 7장 내야 합니다.

4 491을 올림하여 십의 자리까지 나타내면 500입니다. 따라서 수레는 최소 50대 필요합니다.

5 236을 버림하여 십의 자리까지 나타내면 2300이므로 상자에 담을 수 있는 고구마는 최대 230개입니다. 따라서 최대 23상자까지 팔 수 있으므로 고구마를 팔아서 받을 수 있는 돈은 최대 $3000 \times 23 = 69000$(원)입니다.

4일 [개념·원리] 길잡이 **26**쪽~**27**쪽

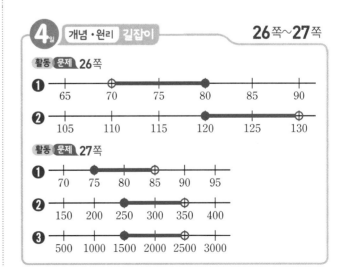

활동 문제 26쪽

❶ 올림하여 80이 되었으므로 어떤 수는 80 이하입니다.
70은 올림하여 십의 자리까지 나타내어도 70이므로 포함되지 않습니다.
따라서 어떤 수의 범위는 70 초과 80 이하입니다.

❷ 버림하여 120이 되었으므로 어떤 수는 120 이상입니다.
130은 버림하여 십의 자리까지 나타내어도 130이므로 포함되지 않습니다.
따라서 어떤 수의 범위는 120 이상 130 미만입니다.

활동 문제 27쪽

❶ 75는 반올림하여 십의 자리까지 나타내면 80이므로 포함됩니다. ➡ 어떤 수는 75 이상입니다.
85는 반올림하여 십의 자리까지 나타내면 90이므로 포함되지 않습니다. ➡ 어떤 수는 85 미만입니다.
따라서 어떤 수의 범위는 75 이상 85 미만입니다.

❷ 250은 반올림하여 백의 자리까지 나타내면 300이므로 포함됩니다. ➡ 어떤 수는 250 이상입니다.
350은 반올림하여 백의 자리까지 나타내면 400이므로 포함되지 않습니다. ➡ 어떤 수는 350 미만입니다.
따라서 어떤 수의 범위는 250 이상 350 미만입니다.

4일 서술형 길잡이 독해력 길잡이 28쪽~29쪽

1-1 2650 이상 2750 미만

1-2 (1) 3500 (2) 5000 (3) 3500 이상 4500 미만

1-3 예 백의 자리 숫자가 5인 수 중에서 반올림하여 천의 자리까지 나타내었을 때 50000이 되는 가장 작은 수는 4500입니다. 5500은 반올림하여 천의 자리까지 나타내면 6000이 됩니다. 따라서 반올림하여 천의 자리까지 나타내었을 때 5000이 되는 수의 범위는 4500 이상 5500 미만입니다. ; 4500 이상 5500 미만

2-1 127, 129

2-2
다음 조건 을 만족하는 자연수를 구해 보세요.
조건
• 버림하여 십의 자리까지 나타내면 260입니다.
• 267 초과 295 이하입니다.
• 홀수입니다.

; 269

2-3 502

1-1 2650은 반올림하여 백의 자리까지 나타내면 2700이 되므로 포함됩니다.
2750은 반올림하여 백의 자리까지 나타내면 2800이 되므로 포함되지 않습니다.
따라서 어떤 수가 될 수 있는 수의 범위는 2650 이상 2750 미만인 수입니다.

1-2 (1) □5□□인 수를 반올림하여 천의 자리까지 나타내면 천의 자리 수는 1 커지고 나머지 자리의 수는 모두 0이 됩니다.
따라서 반올림하여 천의 자리까지 나타내었을 때 4000이 되는 가장 작은 수는 3500입니다.

(2) 4500은 백의 자리 숫자가 5이므로 반올림하여 천의 자리까지 나타내면 50000이 됩니다.

(3) 어떤 수가 될 수 있는 수의 범위는 3500과 같거나 크고, 4500보다 작습니다.

2-1 올림하여 십의 자리까지 나타내면 130이 되는 수의 범위는 120 초과 130 이하입니다.
이 범위와 125 초과 142 미만인 수의 범위 중 공통인 범위는 125 초과 130 이하입니다.
➡ 125 초과 130 이하인 수 중에서 홀수를 찾으면 127, 129입니다.

2-2 버림하여 십의 자리까지 나타내었을 때 260이 되는 수의 범위는 260 이상 270 미만입니다.
이 범위와 267 초과 295 이하인 수의 범위 중 공통인 범위는 267 초과 270 미만입니다.
➡ 267 초과 270 미만인 수의 범위에서 홀수를 찾으면 269입니다.

2-3 올림하여 십의 자리까지 나타내었을 때 510이 되는 수의 범위는 500 초과 510 이하입니다.
이 범위와 488 이상 504 미만인 수의 범위 중 공통인 범위는 500 초과 504 미만입니다.
➡ 500 초과 504 미만인 수의 범위에서 짝수를 찾으면 502입니다.

4일 사고력·코딩 30쪽~31쪽

1 (1) 470 초과 480 이하 (2) 270 이상 280 미만
(3) 185 이상 195 미만

2

5000 5500 6000 6500 7000 7500

3 398   **4** 2559, 2649   **5** 3954

---

1 (1) 올림하여 480이 되었으므로 모자에 넣은 수는 480과 같거나 작습니다.

470을 올림하여 십의 자리까지 나타내면 470이므로 470은 포함되지 않습니다. ➡ 모자에 넣은 수는 470보다 큽니다.

따라서 모자에 넣은 수가 될 수 있는 수의 범위는 470 초과 480 이하입니다.

(2) 버림하여 270이 되었으므로 모자에 넣은 수는 270과 같거나 큽니다.

280을 버림하여 십의 자리까지 나타내면 280이므로 280은 포함되지 않습니다. ➡ 모자에 넣은 수는 280보다 작습니다.

따라서 모자에 넣은 수가 될 수 있는 수의 범위는 270 이상 280 미만입니다.

2 5500은 반올림하여 백의 자리까지 나타내면 6000이므로 포함됩니다. ➡ 어떤 수는 5500 이상입니다.

6500은 반올림하여 천의 자리까지 나타내면 7000이므로 포함되지 않습니다. ➡ 어떤 수는 6500 미만입니다.

따라서 어떤 수의 범위는 5500 이상 6500 미만입니다.
수직선에 나타낼 때에는 5500은 ●로, 6500은 ○로 나타냅니다.

3 버림하여 십의 자리까지 나타내었을 때 390이 되는 수의 범위는 390 이상 400 미만입니다.

이 범위와 398 이상 403 미만인 수의 범위 중 공통인 범위는 398 이상 400 미만입니다.

398 이상 400 미만인 수의 범위에서 짝수를 찾으면 398입니다.

4 반올림하여 백의 자리까지 나타내었을 때 2600이 되는 수의 범위는 2550 이상 2650 미만입니다.

수의 범위에 2□□9가 들어갈 때 백의 자리의 □ 안에 알맞은 수는 5 또는 6입니다.

따라서 가장 작은 수는 25□9 중에서 2550과 가장 가까운 2559이고, 가장 큰 수는 26□9 중에서 2650과 가장 가까운 2649입니다.

5 올림하여 천의 자리까지 나타내었을 때 4000이 되는 수의 범위는 3000 초과 4000 이하입니다.

이 수의 범위 중에서 3, 5, 4, 9가 들어 있는 수는 3459, 3495, 3549, 3594, 3945, 3954입니다.
따라서 가장 큰 수는 3954입니다.

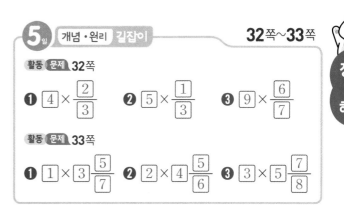

5일 개념·원리 **길잡이** **32**쪽~**33**쪽

활동 문제 **32**쪽

❶ 4가 가장 큰 수이므로 자연수 부분에 놓고 2, 3으로 진분수를 만듭니다.

❷ 5가 가장 큰 수이므로 자연수 부분에 놓고 1, 3으로 진분수를 만듭니다.

활동 문제 **33**쪽

❶ 1이 가장 작은 수이므로 자연수 부분에 놓고 3, 5, 7로 가장 작은 대분수를 만듭니다.

❷ 2가 가장 작은 수이므로 자연수 부분에 놓고 4, 5, 6으로 가장 작은 대분수를 만듭니다.

5일 서술형 **길잡이** 독해력 **길잡이** **34**쪽~**35**쪽

1-1 36

1-2 (1) 9 (2) $8\frac{3}{5}$ (3) $77\frac{2}{5}$

1-3 (1) $2 \times 3\frac{4}{7}$ (2) $7\frac{1}{7}$

2-1 $1\frac{1}{2}$, $5\frac{2}{5}$

2-2
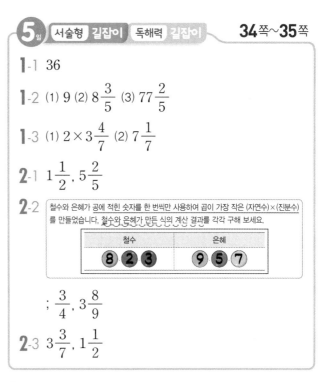

; $\frac{3}{4}$, $3\frac{8}{9}$

2-3 $3\frac{3}{7}$, $1\frac{1}{2}$

1-1 8이 가장 큰 수이므로 자연수 부분에 놓고 나머지 1, 2, 4로 가장 큰 대분수를 만듭니다.

➡ $8 \times 4\frac{1}{2} = \overset{4}{8} \times \frac{9}{\underset{1}{2}} = 36$

1-2 (3) $9 \times 8\frac{3}{5} = 9 \times \frac{43}{5} = \frac{387}{5} = 77\frac{2}{5}$

1-3 (2) $2 \times 3\frac{4}{7} = 2 \times \frac{25}{7} = \frac{50}{7} = 7\frac{1}{7}$

2-1 민기: $\overset{3}{6} \times \frac{1}{\underset{2}{4}} = \frac{3}{2} = 1\frac{1}{2}$

지연: $9 \times \frac{3}{5} = \frac{27}{5} = 5\frac{2}{5}$

2-2 철수: $\overset{1}{2} \times \frac{3}{\underset{4}{8}} = \frac{3}{4}$

은혜: $5 \times \frac{7}{9} = \frac{35}{9} = 3\frac{8}{9}$

2-3 은우: $8 \times \frac{3}{7} = \frac{24}{7} = 3\frac{3}{7}$

승대: $\overset{3}{9} \times \frac{1}{\underset{2}{6}} = \frac{3}{2} = 1\frac{1}{2}$

5일 사고력·코딩　　　　　　**36**쪽~**37**쪽

1 영주	2 154
3 $61\frac{4}{9}$	4 $3\frac{1}{2}$
5 $6\frac{4}{21}$ m	

1 영주: $6 \times \frac{4}{5} = \frac{24}{5} = 4\frac{4}{5}$

소희: $7 \times \frac{2}{3} = \frac{14}{3} = 4\frac{2}{3}$

$\left(4\frac{4}{5}, 4\frac{2}{3}\right) \Rightarrow \left(4\frac{12}{15}, 4\frac{10}{15}\right) \Rightarrow 4\frac{4}{5} > 4\frac{2}{3}$

이므로 영주가 만든 곱이 더 큽니다.

2 곱이 가장 큰 식: $8 \times 5\frac{1}{4} = \overset{2}{8} \times \frac{21}{\underset{1}{4}} = 42$

$\Rightarrow 42 \times 3\frac{2}{3} = \overset{14}{42} \times \frac{11}{\underset{1}{3}} = 154$

3 곱이 가장 큰 식: $9 \times 7\frac{2}{3} = \overset{3}{9} \times \frac{23}{\underset{1}{3}} = 69$

곱이 가장 작은 식: $2 \times 3\frac{7}{9} = 2 \times \frac{34}{9} = \frac{68}{9} = 7\frac{5}{9}$

$\Rightarrow 69 - 7\frac{5}{9} = 68\frac{9}{9} - 7\frac{5}{9} = 61\frac{4}{9}$

---

4 가장 큰 수는 7이므로 7은 자연수 부분에 놓아야 합니다.

남은 수 카드 1, 2, 5 중 2장으로 만들 수 있는 진분수는 $\frac{1}{2}$, $\frac{1}{5}$, $\frac{2}{5}$ 이고 크기를 비교하면 $\frac{1}{2} > \frac{2}{5} > \frac{1}{5}$ 이므로 $\frac{1}{2}$ 이 가장 큽니다.

$\Rightarrow 7 \times \frac{1}{2} = \frac{7}{2} = 3\frac{1}{2}$

5 (색 테이프 12장의 길이의 합)

$= \frac{7}{\underset{3}{9}} \times \overset{4}{12} = \frac{28}{3} = 9\frac{1}{3}$ (m)

겹친 부분은 11군데입니다.
(겹친 색 테이프의 길이의 합)

$= \frac{2}{7} \times 11 = \frac{22}{7} = 3\frac{1}{7}$ (m)

$\Rightarrow$ (이어 붙인 색 테이프의 전체 길이)

$= 9\frac{1}{3} - 3\frac{1}{7} = (9-3) + \left(\frac{1}{3} - \frac{1}{7}\right)$

$= 6 + \left(\frac{7}{21} - \frac{3}{21}\right)$

$= 6 + \frac{4}{21} = 6\frac{4}{21}$ (m)

1주 특강　창의·융합·코딩　　**38**쪽~**43**쪽

1

2

3 ❶ (왼쪽에서부터) 5600 ; 2820, 9430

　　❷ (왼쪽에서부터) 5500 ; 2810, 9420

4 ❶ 30 kg ❷ $13\frac{1}{3}$ kg ❸ $16\frac{2}{3}$ kg

5 보통

6

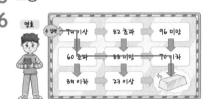

7 ❶

도시	인구수(명)	도시	인구수(명)
부산	3400000	광주	1500000
대구	2400000	대전	1500000
인천	3000000	울산	1100000

　　❷

도시	인구수(명)	도시	인구수(명)
부산	3370000	광주	1490000
대구	2430000	대전	1500000
인천	2950000	울산	1140000

2 반올림하여 십의 자리까지 나타내어 봅니다.

19, 22 ➡ 20,　　27, 32 ➡ 30,　　36, 43 ➡ 40,

66, 69 ➡ 70,　　75, 80 ➡ 80

3 ❶ 올림하여 백의 자리까지, 십의 자리까지 나타낸 수입니다.

　　❷ 버림하여 백의 자리까지, 십의 자리까지 나타낸 수입니다.

---

4 ❶ $\overset{10}{\cancel{80}} \times \frac{3}{\cancel{8}} = 30$ (kg)

　　❷ $\overset{40}{\cancel{80}} \times \frac{1}{\cancel{6}} = \frac{40}{3} = 13\frac{1}{3}$ (kg)

　　❸ $30 - 13\frac{1}{3} = 29\frac{3}{3} - 13\frac{1}{3} = 16\frac{2}{3}$ (kg)

누구나 100점 TEST **44쪽~45쪽**

1 12 cm		**2** 5	
3 23		**4** 32000원	
5 22대		**6** 101, 103	
7 51		**8** $7\frac{1}{9}$	

1 35 초과인 수는 35보다 큰 수입니다. 이 중에서 가장 작은 자연수는 36입니다.

따라서 정삼각형의 한 변의 길이는 $36 \div 3 = 12$ (cm)입니다.

2 70 초과 75 이하인 수 중에서 가장 큰 수는 75입니다.

15 이상 20 미만인 수 중에서 가장 작은 수는 15입니다. ➡ ㉮÷㉯=75÷15=5

3 $35 - ㉠ - 1 = 11$, $35 - ㉠ = 12$, $㉠ = 23$

4 버림하여 천의 자리까지 나타내면 32000원입니다.

5 217을 올림하여 십의 자리까지 나타내면 220입니다.

6 반올림하여 십의 자리까지 나타내었을 때 100이 되는 수의 범위는 95 이상 105 미만입니다.

이 범위와 99 초과 110 미만인 수의 범위 중 공통인 범위는 99 초과 105 미만입니다.

99 초과 105 미만인 수의 범위에서 홀수를 찾으면 101, 103입니다.

7 가장 큰 수는 9이므로 9를 자연수 부분에 놓고 남은 수 카드로 가장 큰 대분수를 만들면 $5\frac{2}{3}$입니다.

➡ $9 \times 5\frac{2}{3} = \overset{3}{\cancel{9}} \times \frac{17}{\cancel{3}} = 51$

8 가장 작은 수는 2이므로 2를 자연수 부분에 놓고 남은 수 카드로 가장 작은 대분수를 만들면 $3\frac{5}{9}$입니다.

➡ $2 \times 3\frac{5}{9} = 2 \times \frac{32}{9} = \frac{64}{9} = 7\frac{1}{9}$

2주

2주에는 무엇을 공부할까? ❷   48쪽~49쪽

1-1 (1) $\dfrac{1}{6}$ (2) $\dfrac{1}{5}$ **1-2** (1) $\dfrac{1}{12}$ (2) $\dfrac{1}{4}$

2-1 $2\dfrac{1}{2} \times 1\dfrac{1}{5} = \left(2\dfrac{1}{2} \times 1\right) + \left(2\dfrac{1}{2} \times \dfrac{1}{5}\right)$

$$= 2\dfrac{1}{2} + \dfrac{\overset{1}{\cancel{5}}}{2} \times \dfrac{1}{\underset{1}{\cancel{5}}} = 2\dfrac{1}{2} + \dfrac{1}{2} = 3$$

2-2 (1) $2\dfrac{1}{3} \times 2\dfrac{1}{2} = \dfrac{7}{3} \times \dfrac{5}{2} = \dfrac{35}{6} = 5\dfrac{5}{6}$

(2) $3\dfrac{2}{5} \times 4\dfrac{1}{3} = \dfrac{17}{5} \times \dfrac{13}{3} = \dfrac{221}{15} = 14\dfrac{11}{15}$

3-1 가, 라   **3-2** 가, 다

4-1 (1) 나 (2) 다   **4-2** (1) 나 (2) 가

1-1 (2) $\dfrac{2}{3} \times \dfrac{3}{10} = \dfrac{2 \times 3}{3 \times 10} = \dfrac{\overset{1}{\cancel{6}}}{\underset{5}{\cancel{30}}} = \dfrac{1}{5}$

1-2 (2) $\dfrac{2}{5} \times \dfrac{5}{8} = \dfrac{2 \times 5}{5 \times 8} = \dfrac{\overset{1}{\cancel{10}}}{\underset{4}{\cancel{40}}} = \dfrac{1}{4}$

3-1 모양과 크기가 같은 것을 찾으면 가, 라입니다.

3-2 모양과 크기가 같은 것을 찾으면 가, 다입니다.

1일 개념·원리 길잡이   50쪽~51쪽

활동 문제 50쪽

❶ 예

; $\dfrac{1}{3}$, $\dfrac{2}{15}$

❷ 예

; $\dfrac{2}{7}$, $\dfrac{4}{21}$

활동 문제 51쪽

❶ 예

; $\dfrac{1}{4}$, $\dfrac{3}{20}$

❷ 예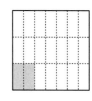

; $\dfrac{2}{7}$, $\dfrac{2}{21}$

1일 서술형 길잡이 독해력 길잡이   52쪽~53쪽

1-1 $\dfrac{1}{12}$ **1-2** (1) $\dfrac{2}{5}$ (2) $\dfrac{1}{3}$

1-2 (1) $\dfrac{3}{7}$ (2) $\dfrac{9}{56}$ **2-1** 280개

2-2
> 아이스크림 가게에 있는 아이스크림의 $\dfrac{5}{8}$는 초콜릿 맛이고, 초콜릿 맛 아이스크림 중에서 $\dfrac{3}{10}$은 콘이라고 합니다. 아이스크림 가게에 있는 아이스크림이 모두 800개일 때 초콜릿 맛 콘 아이스크림은 몇 개 있는지 구해 보세요.

; 150개

2-3 800원

1-1 어제 마시고 남은 물은 전체의 $1 - \dfrac{2}{3} = \dfrac{1}{3}$입니다.

따라서 오늘 마신 물은 전체의 $\dfrac{1}{3} \times \dfrac{1}{4} = \dfrac{1}{12}$입니다.

1-2 (2) $\dfrac{\overset{1}{\cancel{2}}}{\underset{1}{\cancel{5}}} \times \dfrac{\overset{1}{\cancel{5}}}{\underset{3}{\cancel{6}}} = \dfrac{1}{3}$

1-3 (2) $\dfrac{3}{7} \times \dfrac{3}{8} = \dfrac{9}{56}$

2-1 딸기 맛 사탕은 전체의 $\dfrac{7}{10} \times \dfrac{2}{5} = \dfrac{\overset{7}{\cancel{14}}}{\underset{25}{\cancel{50}}} = \dfrac{7}{25}$입니다.

따라서 딸기 맛 사탕은 $\overset{40}{\cancel{1000}} \times \dfrac{7}{\underset{1}{\cancel{25}}} = 280$(개) 있습니다.

2-2 초콜릿 맛 콘 아이스크림은 전체의

$\dfrac{5}{8} \times \dfrac{3}{10} = \dfrac{\overset{3}{15}}{\underset{16}{80}} = \dfrac{3}{16}$입니다.

따라서 초콜릿 맛 콘 아이스크림은

$\overset{50}{800} \times \dfrac{3}{\underset{1}{16}} = 150$(개) 있습니다.

2-3 우유를 사는 데 쓴 돈은 전체의 $\dfrac{1}{2} \times \dfrac{4}{5} = \dfrac{\overset{2}{4}}{\underset{5}{10}} = \dfrac{2}{5}$입

니다. 따라서 우유를 사는 데 쓴 돈은

$\overset{400}{2000} \times \dfrac{2}{\underset{1}{5}} = 800$(원)입니다.

---

4 (동화책 수)$= \overset{25}{500} \times \dfrac{7}{\underset{1}{20}} = 175$(권)

위인전은 전체의

$\left(1 - \dfrac{7}{20}\right) \times \dfrac{3}{25} = \dfrac{13}{20} \times \dfrac{3}{25} = \dfrac{39}{500}$만큼 있으므로

$\overset{1}{500} \times \dfrac{39}{\underset{1}{500}} = 39$(권) 있습니다.

➡ $175 + 39 = 214$(권)

5 안경을 쓴 남학생은 $\dfrac{4}{9} \times \dfrac{1}{3} = \dfrac{4}{27}$이고, 안경을 쓴 여

학생은 $\dfrac{\overset{1}{5}}{9} \times \dfrac{1}{\underset{1}{5}} = \dfrac{1}{9} = \dfrac{3}{27}$입니다.

따라서 $\dfrac{4}{27} > \dfrac{3}{27}$이므로 안경을 쓴 남학생이 더 많습

니다.

6 민지가 과자를 사고 남은 돈은 전체의 $1 - \dfrac{3}{5} = \dfrac{2}{5}$이

고 음료수를 사고 남은 돈은 처음 가지고 있던 돈의

$\dfrac{2}{5} \times \left(1 - \dfrac{5}{6}\right) = \dfrac{\overset{1}{2}}{5} \times \dfrac{1}{\underset{3}{6}} = \dfrac{1}{15}$입니다.

따라서 민지가 처음 가지고 있던 돈은

$600 \times 15 = 9000$(원)입니다.

 **사고력·코딩**   **54**쪽~**55**쪽

1 7   **2** $\dfrac{12}{25}$

3 100쪽   **4** 214권

5 (○)(   )   **6** 9000원

1 $\dfrac{\overset{1}{2}}{9} \times \dfrac{1}{\underset{4}{8}} = \dfrac{1}{36}$, $\dfrac{1}{5} \times \dfrac{1}{\Box} = \dfrac{1}{5 \times \Box}$

분자가 1로 같으므로 분모가 작을수록 더 큽니다.
$5 \times \Box < 36$을 만족하는 자연수는 1, 2, 3, 4, 5, 6, 7
이므로 가장 큰 수는 7입니다.

2 $\dfrac{3}{\underset{1}{4}} \times \dfrac{\overset{1}{4}}{5} = \dfrac{3}{5}$, $\dfrac{3}{5} > \dfrac{1}{2}$

$\dfrac{3}{5} \times \dfrac{4}{5} = \dfrac{12}{25}$, $\dfrac{12}{25} < \dfrac{1}{2}$

3 태우가 어제 읽고 남은 책의 양은 전체의

$1 - \dfrac{2}{5} = \dfrac{3}{5}$이고 오늘 읽고 남은 책의 양은 전체의

$\dfrac{3}{5} \times \left(1 - \dfrac{4}{9}\right) = \dfrac{\overset{1}{3}}{\underset{1}{5}} \times \dfrac{\overset{1}{5}}{\underset{3}{9}} = \dfrac{1}{3}$입니다.

따라서 남은 쪽수는 $\overset{100}{300} \times \dfrac{1}{\underset{1}{3}} = 100$(쪽)입니다.

2일 **개념·원리** 길잡이   **56**쪽~**57**쪽

활동 문제 **56**쪽

❶ 예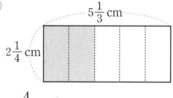

; $4\dfrac{4}{5}$ cm^2

❷ 예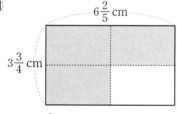

; 18 cm^2

활동 문제 **57**쪽

❶ $5\dfrac{1}{4}$; $5\dfrac{1}{4}$, 14   ❷ $1\dfrac{2}{3}$; $1\dfrac{2}{3}$, $2\dfrac{11}{12}$

활동 문제 **56**쪽

❶ (직사각형의 넓이)$=5\dfrac{1}{3}\times2\dfrac{1}{4}=\dfrac{\overset{4}{\cancel{16}}}{\cancel{3}}\times\dfrac{\overset{3}{\cancel{9}}}{\cancel{4}}=12\ (\text{cm}^2)$

　(색칠한 부분의 넓이)$=12\times\dfrac{2}{5}=\dfrac{24}{5}=4\dfrac{4}{5}\ (\text{cm}^2)$

❷ (직사각형의 넓이)$=6\dfrac{2}{5}\times3\dfrac{3}{4}=\dfrac{\overset{8}{\cancel{32}}}{\cancel{5}}\times\dfrac{\overset{3}{\cancel{15}}}{\cancel{4}}$

$=24\ (\text{cm}^2)$

　(색칠한 부분의 넓이)$=\overset{6}{\cancel{24}}\times\dfrac{3}{\cancel{4}}=18\ (\text{cm}^2)$

활동 문제 **57**쪽

❶ (새로 만든 직사각형의 가로)$=3\dfrac{1}{2}\times1\dfrac{1}{2}=\dfrac{7}{2}\times\dfrac{3}{2}$

$=\dfrac{21}{4}=5\dfrac{1}{4}\ (\text{cm})$

　(새로 만든 직사각형의 넓이)$=5\dfrac{1}{4}\times2\dfrac{2}{3}=\dfrac{21}{\cancel{4}}\times\dfrac{\overset{2}{\cancel{8}}}{3}$

$=14\ (\text{cm}^2)$

❷ (새로 만든 직사각형의 가로)$=2\dfrac{7}{9}\times\dfrac{3}{5}=\dfrac{\overset{5}{\cancel{25}}}{\cancel{9}}\times\dfrac{\cancel{3}}{\cancel{5}}=\dfrac{5}{3}$

$=1\dfrac{2}{3}\ (\text{cm})$

　(새로 만든 직사각형의 넓이)$=1\dfrac{2}{3}\times1\dfrac{3}{4}=\dfrac{5}{3}\times\dfrac{7}{4}$

$=\dfrac{35}{12}=2\dfrac{11}{12}\ (\text{cm}^2)$

2일 서술형 길잡이 독해력 길잡이 **58**쪽~**59**쪽

1-1 $21\dfrac{7}{9}\ \text{cm}^2$

1-2 (1) $\dfrac{9}{16}$　(2) $25\dfrac{5}{9}\ \text{cm}^2$　(3) $14\dfrac{3}{8}\ \text{cm}^2$

2-1 $84\dfrac{3}{8}\ \text{cm}^2$

2-2 은주는 가로가 $3\dfrac{5}{9}$ cm, 세로가 $3\dfrac{3}{8}$ cm인 직사각형에서 가로를 $1\dfrac{3}{4}$배를 늘이고, 세로를 $1\dfrac{4}{9}$배로 늘였습니다. 새로 만든 직사각형의 넓이를 구해 보세요.

; $30\dfrac{1}{3}\ \text{cm}^2$

2-3 $4\ \text{cm}^2$

1-1 색칠한 부분의 넓이는 직사각형을 9등분한 것 중의 4개와 같습니다.

　(전체 직사각형의 넓이)$=11\dfrac{1}{5}\times4\dfrac{3}{8}$

$=\dfrac{\overset{7}{\cancel{56}}}{\cancel{5}}\times\dfrac{\overset{7}{\cancel{35}}}{\cancel{8}}=49\ (\text{cm}^2)$

　(색칠한 부분의 넓이)$=49\times\dfrac{4}{9}=\dfrac{196}{9}$

$=21\dfrac{7}{9}\ (\text{cm}^2)$

1-2 (2) $6\dfrac{2}{3}\times3\dfrac{5}{6}=\dfrac{20}{3}\times\dfrac{\overset{10}{\cancel{23}}}{\cancel{6}}=\dfrac{230}{9}=25\dfrac{5}{9}\ (\text{cm}^2)$

(3) $25\dfrac{5}{9}\times\dfrac{9}{16}=\dfrac{\overset{115}{\cancel{230}}}{\cancel{9}}\times\dfrac{\cancel{9}}{\underset{8}{\cancel{16}}}=\dfrac{115}{8}=14\dfrac{3}{8}\ (\text{cm}^2)$

2-1 (새로 만든 직사각형의 가로)$=4\dfrac{1}{2}\times2\dfrac{1}{2}=\dfrac{9}{2}\times\dfrac{5}{2}$

$=\dfrac{45}{4}=11\dfrac{1}{4}\ (\text{cm})$

　(새로 만든 직사각형의 세로)$=4\dfrac{1}{2}\times1\dfrac{2}{3}=\dfrac{9}{2}\times\dfrac{5}{\cancel{3}}$

$=\dfrac{15}{2}=7\dfrac{1}{2}\ (\text{cm})$

➡ (새로 만든 직사각형의 넓이)

$=11\dfrac{1}{4}\times7\dfrac{1}{2}=\dfrac{45}{4}\times\dfrac{15}{2}$

$=\dfrac{675}{8}=84\dfrac{3}{8}\ (\text{cm}^2)$

2-2 (새로 만든 직사각형의 가로)$=3\dfrac{5}{9}\times1\dfrac{3}{4}=\dfrac{\overset{8}{\cancel{32}}}{9}\times\dfrac{7}{\cancel{4}}$

$=\dfrac{56}{9}=6\dfrac{2}{9}\ (\text{cm})$

(새로 만든 직사각형의 세로)

$=3\dfrac{3}{8}\times1\dfrac{4}{9}=\dfrac{\overset{3}{\cancel{27}}}{8}\times\dfrac{13}{\cancel{9}}$

$=\dfrac{39}{8}=4\dfrac{7}{8}\ (\text{cm})$

➡ (새로 만든 직사각형의 넓이)

$=6\dfrac{2}{9}\times4\dfrac{7}{8}=\dfrac{\overset{7}{\cancel{56}}}{\cancel{9}}\times\dfrac{\overset{13}{\cancel{39}}}{\cancel{8}}=\dfrac{91}{3}=30\dfrac{1}{3}\ (\text{cm}^2)$

2-3 (새로 만든 직사각형의 가로)

$$= 2\frac{1}{4} \times 1\frac{1}{3} = \frac{\overset{3}{\cancel{9}}}{\cancel{4}} \times \frac{\overset{1}{\cancel{4}}}{\cancel{3}} = 3 \text{ (cm)},$$

(새로 만든 직사각형의 세로)

$$= 2\frac{2}{3} \times \frac{1}{2} = \frac{\overset{4}{\cancel{8}}}{3} \times \frac{1}{\cancel{2}} = \frac{4}{3} = 1\frac{1}{3} \text{ (cm)}$$

$$\Rightarrow 3 \times 1\frac{1}{3} = \overset{1}{\cancel{3}} \times \frac{4}{\cancel{3}} = 4 \text{ (cm}^2)$$

2월 **사고력·코딩**   **60쪽~61쪽**

1 42

2 (1) $\dfrac{1}{16}$ (2) $163\dfrac{21}{25}$ cm²   (3) $30\dfrac{18}{25}$ cm²

    (4) $40\dfrac{24}{25}$ cm²

3 $2\dfrac{4}{5}$ cm²   **4** 정사각형, $3\dfrac{39}{112}$ cm²

1 $4\dfrac{8}{9} \times 8\dfrac{6}{11} = \dfrac{44}{9} \times \dfrac{\overset{4}{\cancel{94}}}{\cancel{11}} = \dfrac{376}{9} = 41\dfrac{7}{9}$ 이므로

□ 안에 들어갈 수 있는 가장 작은 자연수는 42입니다.

2 (2) (칠교판의 넓이) $= 12\dfrac{4}{5} \times 12\dfrac{4}{5} = \dfrac{64}{5} \times \dfrac{64}{5}$

$$= \dfrac{4096}{25} = 163\dfrac{21}{25} \text{ (cm}^2)$$

(3) 초록색으로 색칠한 부분은 가장 작은 삼각형의 3배
이므로 초록색으로 색칠한 부분은 칠교판 넓이의
$\dfrac{3}{16}$ 입니다.

$$\Rightarrow 163\dfrac{21}{25} \times \dfrac{3}{16} = \dfrac{\overset{256}{\cancel{4096}}}{25} \times \dfrac{3}{\cancel{16}} = \dfrac{768}{25}$$

$$= 30\dfrac{18}{25} \text{ (cm}^2)$$

(4) 노란색으로 색칠한 부분은 가장 작은 삼각형의 4배
이므로 노란색으로 색칠한 부분은 칠교판 넓이의
$\dfrac{4}{16} = \dfrac{1}{4}$ 입니다.

$$\Rightarrow 163\dfrac{21}{25} \times \dfrac{1}{4} = \dfrac{\overset{1024}{\cancel{4096}}}{25} \times \dfrac{1}{\cancel{4}} = \dfrac{1024}{25}$$

$$= 40\dfrac{24}{25} \text{ (cm}^2)$$

3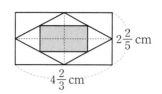

마름모의 넓이는 가장 큰 직사각형의 넓이의 $\dfrac{1}{2}$ 이고,

색칠한 부분의 넓이는 마름모의 넓이의 $\dfrac{1}{2}$ 이므로 색칠
한 부분의 넓이는 가장 큰 직사각형의 넓이의

$\dfrac{1}{2} \times \dfrac{1}{2} = \dfrac{1}{4}$ 입니다.

(가장 큰 직사각형의 넓이) $= 4\dfrac{2}{3} \times 2\dfrac{2}{5} = \dfrac{14}{\cancel{3}} \times \dfrac{\overset{4}{\cancel{12}}}{5}$

$$= \dfrac{56}{5} = 11\dfrac{1}{5} \text{ (cm}^2)$$

$\Rightarrow$ (색칠한 부분의 넓이) $= 11\dfrac{1}{5} \times \dfrac{1}{4} = \dfrac{\overset{14}{\cancel{56}}}{5} \times \dfrac{1}{\cancel{4}}$

$$= \dfrac{14}{5} = 2\dfrac{4}{5} \text{ (cm}^2)$$

4 도형의 넓이를 각각 구해 봅니다.

(정사각형의 넓이) $= 6\dfrac{1}{4} \times 6\dfrac{1}{4} = \dfrac{25}{4} \times \dfrac{25}{4}$

$$= \dfrac{625}{16} = 39\dfrac{1}{16} \text{ (cm}^2)$$

(새로 만든 직사각형의 가로) $= 6\dfrac{1}{4} \times 1\dfrac{3}{5} = \dfrac{\overset{5}{\cancel{25}}}{\cancel{4}} \times \dfrac{\overset{2}{\cancel{8}}}{5}$

$$= 10 \text{ (cm)}$$

(새로 만든 직사각형의 세로) $= 6\dfrac{1}{4} \times \dfrac{4}{7} = \dfrac{25}{\cancel{4}} \times \dfrac{\overset{1}{\cancel{4}}}{7}$

$$= \dfrac{25}{7} = 3\dfrac{4}{7} \text{ (cm)}$$

(새로 만든 직사각형의 넓이) $= 10 \times 3\dfrac{4}{7} = 10 \times \dfrac{25}{7}$

$$= \dfrac{250}{7} = 35\dfrac{5}{7} \text{ (cm}^2)$$

따라서 정사각형이 새로 만든 직사각형보다

$39\dfrac{1}{16} - 35\dfrac{5}{7} = 39\dfrac{7}{112} - 35\dfrac{80}{112}$

$$= 38\dfrac{119}{112} - 35\dfrac{80}{112} = 3\dfrac{39}{112} \text{ (cm}^2)$$

더 넓습니다.

3일 〔개념·원리〕 **길잡이** 62쪽~63쪽

〔활동〕〔문제〕 **62쪽**

❶ 〔예〕

❷

❸

❹

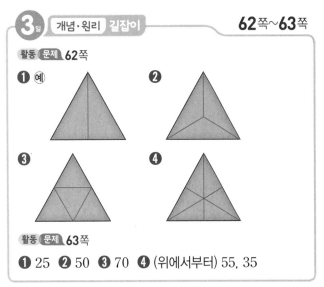

〔활동〕〔문제〕 **63쪽**

❶ 25 ❷ 50 ❸ 70 ❹ (위에서부터) 55, 35

〔활동〕〔문제〕 **63쪽**

접힌 부분과 접기 전 부분은 서로 합동이므로 대응각의 크기가 서로 같습니다.

3일 〔서술형〕 **길잡이** 〔독해력〕 **길잡이** 64쪽~65쪽

1-1 45°   **1**-2 (1) 각 ㄴㅂㅁ (2) 70°

1-3 (1) 70° (2) 40° (3) 80°

2-1 80°

2-2

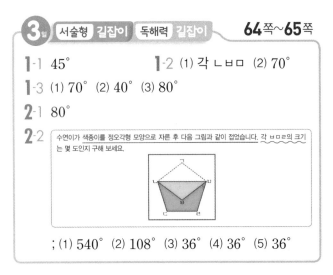

수연이가 색종이를 정오각형 모양으로 자른 후 다음 그림과 같이 접었습니다. 각 ㅂㅁㄹ의 크기는 몇 도인지 구해 보세요.

; (1) 540° (2) 108° (3) 36° (4) 36° (5) 36°

1-1 각 ㅁㅂㄷ의 대응각은 각 ㅂㅁㄱ이므로 각 ㅁㅂㄷ과 각 ㅂㅁㄱ의 크기는 서로 같습니다.
→ (각 ㅁㅂㄷ)=(각 ㅂㅁㄱ)=45°

1-2 (1) 사각형 ㄱㄴㅂㅁ과 사각형 ㄷㄹㅁㅂ을 포개었을 때 각 ㄹㅁㅂ과 완전히 겹치는 각을 찾으면 각 ㄴㅂㅁ입니다.
(2) 대응각의 크기는 서로 같고, (각 ㄴㅂㅁ)=70°이므로 각 ㄹㅁㅂ의 크기도 70°입니다.

1-3 (1) 삼각형 ㄱㄴㄷ과 삼각형 ㄱㄷㄹ은 이등변삼각형이므로 (각 ㄱㄴㄷ)=(각 ㄱㄷㄴ)=(각 ㄱㄷㄹ)=(각 ㄱㄹㄷ)입니다. → (각 ㄱㄷㄴ)=140°÷2=70°
(2) (각 ㄴㄱㄷ)=180°−70°−70°=40°
(3) (각 ㄷㄱㄹ)=(각 ㄴㄱㄷ)=40°이므로 (각 ㄴㄱㄹ)=40°+40°=80°입니다.

2-1 사각형 ㅈㅁㅅㅇ과 사각형 ㄹㄷㅅㅇ은 서로 합동이므로 (각 ㅇㅅㄷ)=(각 ㅇㅅㅁ)=50°입니다.
(각 ㄹㅇㅅ)=(각 ㅈㅇㅅ)=360°−90°−90°−50°=130°이고, (각 ㅂㅇㅅ)=180°−130°=50°입니다.
→ ㉮=(각 ㅈㅇㅅ)−(각 ㅂㅇㅅ)=130°−50°=80°

2-2 (1) 정오각형의 모든 각의 크기의 합은 삼각형 3개의 세 각의 크기의 합과 같으므로 180°×3=540°입니다.

〔참고〕
정오각형은 삼각형 3개 또는 삼각형 1개와 사각형 1개로 나눌 수 있습니다.

 (모든 각의 크기의 합)
=180°×3=540°

 (모든 각의 크기의 합)
=180°+360°=540°

(2) 각 ㄴㄱㅁ은 정오각형의 한 각이고 정오각형은 각의 크기가 모두 같으므로 (각 ㄴㄱㅁ)=540°÷5=108°입니다.
(3) 정오각형은 변의 길이가 모두 같으므로 삼각형 ㄱㄴㅁ은 이등변삼각형입니다. 따라서 (각 ㄱㄴㅁ)+(각 ㄱㅁㄴ)=180°−108°=72°이고 (각 ㄱㄴㅁ)=(각 ㄱㅁㄴ)=72°÷2=36°입니다.
(4) 정오각형을 접기 전 부분인 삼각형 ㄱㄴㅁ과 접힌 부분인 삼각형 ㅂㄴㅁ은 서로 합동이므로 (각 ㄴㅁㅂ)=(각 ㄴㅁㄱ)=36°입니다.
(5) (각 ㅂㅁㄹ)=(각 ㄱㅁㄹ)−(각 ㄱㅁㄴ)−(각 ㄴㅁㅂ)
=108°−36°−36°=36°

3일 〔사고력·코딩〕 66쪽~67쪽

1 (1) 〔예〕
(2) ; 〔예〕

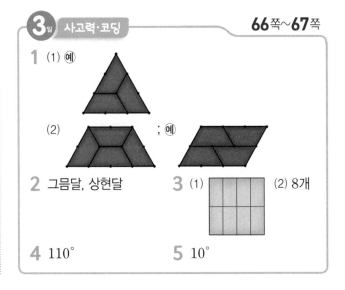

2 그믐달, 상현달   **3** (1) (2) 8개

4 110°   **5** 10°

1 (1) 알맞게 점을 이어 합동인 사다리꼴 3개가 되도록 나눕니다.

(2) 알맞게 점을 이어 각각 합동인 사다리꼴 4개가 되도록 나눕니다.

2 초승달과 그믐달, 상현달과 하현달은 모양과 크기가 같아서 포개었을 때 완전히 겹치므로 서로 합동입니다.

3 (1) 색종이가 접히는 부분을 차례로 표시해 보면 다음과 같습니다.

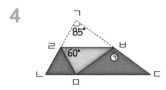

첫 번째   두 번째   세 번째

(2) 모양과 크기가 같은 사각형이 8개 생기므로 합동인 사각형은 모두 8개입니다.

4

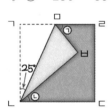

삼각형 ㄹㅁㅂ은 삼각형 ㄹㄱㅂ을 접은 것이므로 두 삼각형은 서로 합동이고, 대응각의 크기가 서로 같습니다.

(각 ㄱㄹㅂ)=(각 ㅁㄹㅂ)=60°,

(각 ㄱㅂㄹ)=180°−85°−60°=35°,

(각 ㅁㅂㄹ)=(각 ㄱㅂㄹ)=35°

➡ ㉠=180°−35°−35°=110°

5

삼각형 ㅁㅂㄴ은 삼각형 ㅁㄱㄴ을 접은 것이므로 두 삼각형은 서로 합동입니다.

사각형 ㄱㄴㄷㄹ은 정사각형이므로 각 ㅁㄱㄴ의 크기는 90°입니다.

➡ (각 ㄱㅁㄴ)=180°−90°−25°=65°

각 ㄱㅁㄴ과 각 ㅂㅁㄴ은 대응각이므로 각 ㅂㅁㄴ의 크기도 65°입니다.

➡ ㉠=180°−65°−65°=50°

각 ㄱㄴㅁ과 각 ㅂㄴㅁ은 대응각이므로 각 ㅂㄴㅁ의 크기도 25°입니다.

➡ ㉡=90°−25°−25°=40°

따라서 ㉠과 ㉡의 크기의 차는

㉠−㉡=50°−40°=10°입니다.

4일 개념·원리 길잡이   **68**쪽~**69**쪽

활동 문제 **68**쪽

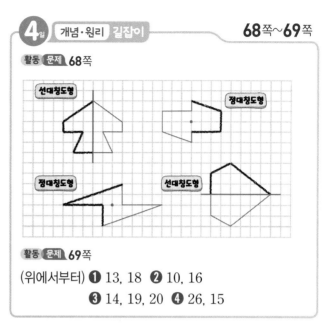

활동 문제 **69**쪽

(위에서부터) ❶ 13, 18   ❷ 10, 16

❸ 14, 19, 20   ❹ 26, 15

활동 문제 **68**쪽

• 선대칭도형은 대응점을 모두 찾아 표시한 후 표시한 점을 차례로 이어 완성합니다.

• 점대칭도형은 각 점에서 대칭의 중심까지의 길이가 같도록 대응점을 모두 찾아 표시한 후 표시한 점을 차례로 이어 완성합니다.

활동 문제 **69**쪽

데칼코마니 기법을 이용하여 만든 도형은 선대칭도형입니다. 선대칭도형에서 대응변의 길이는 서로 같습니다.

4일 서술형 길잡이 독해력 길잡이   **70**쪽~**71**쪽

1-1 90 cm²

1-2 (1) 8 cm (2) 14 cm (3) 66 cm²

1-3 (1) 120 cm² (2) 240 cm²

2-1

; 24 cm

2-2 소영이는 데칼코마니 기법을 이용하여 다음과 같이 모눈종이에 물감을 묻혀 그림을 그린 다음 종이를 반으로 접었다 펼쳐서 작품을 만들려고 합니다. 선대칭도형을 완성하고, 완성된 도형의 둘레는 몇 cm인지 구해 보세요.

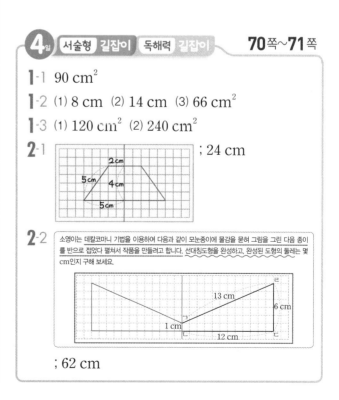

; 62 cm

1-1 (선분 ㄷㄹ)=(선분 ㄴㄹ)=6 cm

(변 ㄴㄷ)=6×2=12 (cm)

선대칭도형의 대응점끼리 이은 선분은 대칭축과 수직으로 만나므로 (각 ㄱㄹㄴ)=90°입니다.

➡ (삼각형 ㄱㄴㄷ의 넓이)=(밑변의 길이)×(높이)÷2

=(선분 ㄷㄴ)×(선분 ㄱㄹ)÷2

=12×15÷2=90 (cm²)

┌ 다른 풀이 ┐

선대칭도형은 대칭축을 기준으로 양쪽의 모양과 크기가 모두 같으므로 한쪽 넓이를 구한 후 2배 하여 전체 넓이를 구할 수 있습니다.

삼각형 ㄱㄴㄹ의 넓이가 15×6÷2=45 (cm²)이므로 삼각형 ㄱㄴㄷ의 넓이는 45×2=90 (cm²)입니다.

1-2 (1) (변 ㄱㄹ)=(선분 ㄱㅁ)×2=4×2=8 (cm)

(2) (변 ㄴㄷ)=(선분 ㄴㅂ)×2=7×2=14 (cm)

(3) 사각형 ㄱㄴㄷㄹ은 사다리꼴입니다.

➡ (사각형 ㄱㄴㄷㄹ의 넓이)

=((윗변의 길이)+(아랫변의 길이))×(높이)÷2

=(8+14)×6÷2=66 (cm²)

┌ 다른 풀이 ┐

(사각형 ㄱㄴㅂㅁ의 넓이)

=(4+7)×6÷2=33 (cm²)

➡ (사각형 ㄱㄴㄷㄹ의 넓이)

=(사각형 ㄱㄴㅂㅁ의 넓이)×2

=33×2=66 (cm²)

1-3 (1) (삼각형 ㄱㄴㄹ의 넓이)

=30×8÷2=120 (cm²)

(2) (사각형 ㄱㄴㄷㄹ의 넓이)

=(삼각형 ㄱㄴㄹ의 넓이)×2

=120×2=240 (cm²)

2-1 대칭축을 기준으로 각각 주어진 점과 거리가 같은 대응점을 찾아 선으로 연결합니다.

선대칭도형은 대응변의 길이가 각각 같으므로 완성된 도형의 둘레는 (2+5+5)×2=12×2=24 (cm)입니다.

2-2 대칭축을 기준으로 각각 주어진 점과 거리가 같은 대응점을 찾아 선으로 연결합니다.

선대칭도형은 대응변의 길이가 각각 같으므로 완성된 도형의 둘레는 (13+6+12)×2=31×2=62 (cm)입니다.

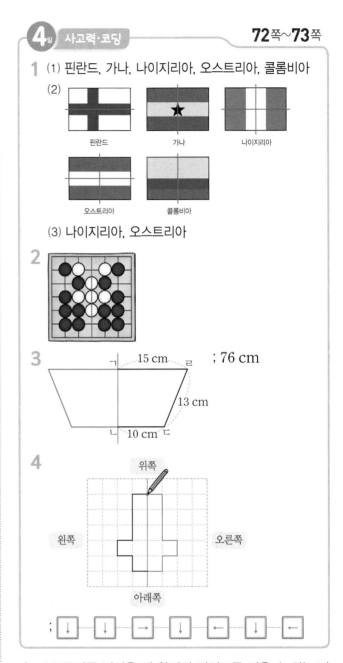

4일 **사고력·코딩** **72**쪽~**73**쪽

1 (1) 핀란드, 가나, 나이지리아, 오스트리아, 콜롬비아

(2) 핀란드 / 가나 / 나이지리아 / 오스트리아 / 콜롬비아

(3) 나이지리아, 오스트리아

2

3 ; 76 cm

ㄱ ─15 cm─ ㄹ / 13 cm / ㄴ ─10 cm─ ㄷ

4 위쪽 / 왼쪽 / 오른쪽 / 아래쪽

; ↓ ↓ → ↓ ← ↓ ←

1 (1) 국기를 접었을 때 완전히 겹치도록 접을 수 있는 나라를 모두 찾아 이름을 씁니다.

(2) 국기를 접었을 때 완전히 겹치도록 접을 수 있는 부분에 선을 모두 긋습니다.

2 빨간 선을 기준으로 같은 색깔의 바둑돌을 같은 거리에 놓습니다.

3 각 점의 대응점을 찾아 차례로 이어 선대칭도형을 완성합니다.

(완성한 선대칭도형의 둘레)=(15+13+10)×2

=38×2=76 (cm)

4 각 점의 대응점을 찾아 차례로 이어 선대칭도형을 완성하고 연필이 움직여야 하는 방향을 확인하여 버튼에 화살표를 알맞게 채웁니다.

5일 개념·원리 길잡이   74쪽~75쪽

활동 문제 74쪽

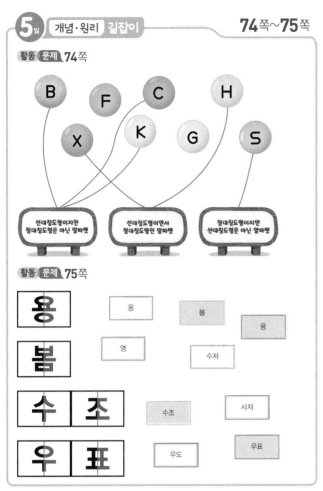

활동 문제 75쪽

활동 문제 74쪽

· 선대칭도형이지만 점대칭도형은 아닌 알파벳: **B. C. K**

· 선대칭도형이면서 점대칭도형인 알파벳: **H. X**

· 점대칭도형이지만 선대칭도형은 아닌 알파벳: **S**

5일 서술형 길잡이 독해력 길잡이   76쪽~77쪽

1-1 1개

1-2 (1) 0, 8 (2) 0, 2, 8 (3) 2개

1-3 (1) ㅁ, ㅅ, ㅇ, ㅊ, ㅌ, ㅎ (2) ㅁ, ㅇ (3) 2개

2-1 4개

2-2 다음과 같은 디지털 숫자로 세 자리 수를 만들려고 합니다. 600보다 작은 자연수 중에서 점대칭이 되는 세 자리 수는 모두 몇 개일까요? (단, 같은 숫자를 여러 번 사용할 수 있습니다.)

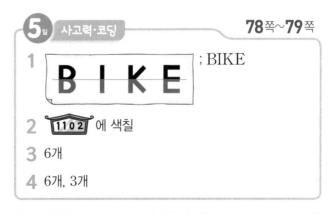

; 3개

1-1 선대칭도형인 자음: ㄷ, ㅂ, ㅈ, ㅍ

점대칭도형인 자음: ㅍ

➡ 선대칭도형이면서 점대칭도형인 자음: ㅍ ➡ 1개

1-2 0 2 4 6 8

(3) 선대칭도형이면서 점대칭도형인 숫자는 **0. 8**로 모두 2개입니다.

1-3 (1) ㅁ, ㅅ, ㅇ, ㅊ, ㅌ, ㅎ

(2) ㅁ, ㅇ

(3) 선대칭도형이면서 점대칭도형인 자음은 **ㅁ. ㅇ**으로 모두 2개입니다.

2-1 주어진 디지털 숫자를 180° 돌렸을 때 나올 수 있는 숫자는 **0 ➡ 0, 8 ➡ 8, 8 ➡ 8, 5 ➡ 5, 6 ➡ 9**이고, 100부터 199까지의 자연수 중에서 180° 돌려도 같은 수가 되는 세 자리 수는 백의 자리와 일의 자리 숫자가 1이어야 합니다. 십의 자리 숫자는 180° 돌려도 같은 숫자가 되어야 하므로 0, 1, 2, 5가 될 수 있습니다.

따라서 101, 111, 121, 151로 모두 4개 만들 수 있습니다.

2-2 주어진 디지털 숫자를 180° 돌렸을 때 나올 수 있는 숫자는 **0 ➡ 0, 5 ➡ 5, 6 ➡ 9, 8 ➡ 8, 9 ➡ 6**입니다. 600보다 작은 세 자리 수가 되려면 백의 자리에 올 수 있는 숫자는 5이고, 점대칭이 되려면 백의 자리 숫자와 일의 자리 숫자가 같아야 하므로 일의 자리 숫자도 5입니다. 십의 자리 숫자는 180° 돌려도 같은 숫자가 되어야 하므로 0, 5, 8이 될 수 있으므로 만들 수 있는 세 자리 수는 505, 555, 585로 모두 3개입니다.

5일 사고력·코딩   78쪽~79쪽

1 BIKE ; BIKE

2 1102 에 색칠

3 6개

4 6개, 3개

1 대칭축을 기준으로 접었을 때 완전히 겹치도록 도형을 완성합니다. 숨겨진 단어는 BIKE(자전거)입니다.

2 • 선대칭도형인 숫자: 3, 8 ➡ 3＋8＝11
• 점대칭도형인 문자: ㄹ, Z ➡ 2개
따라서 지석이가 탈출하기 위해 가야 하는 방의 호수는 1102입니다.

3 180° 돌렸을 때 나올 수 있는 숫자:

1→1, 2→2, 5→5, 6→9,

8→8, 9→6

• 십의 자리 숫자와 일의 자리 숫자가 같은 경우:
11, 22, 55, 88
• 십의 자리 숫자와 일의 자리 숫자가 다른 경우:
69, 96
➡ 조건을 만족하는 두 자리 수는 11, 22, 55, 88, 69, 96으로 모두 6개입니다.

4 ㉠은 선대칭도형이면서 점대칭도형이 아닌 알파벳이고, ㉡은 선대칭도형이면서 점대칭도형인 알파벳입니다.
주어진 알파벳 중에서 선대칭도형인 것을 모두 찾으면 A, C, H, M, O, U, W, X, Y입니다.
이 중에서 점대칭도형인 것은 H, O, X이고, 나머지는 점대칭도형이 아닙니다.
따라서 ㉠으로 나오는 알파벳은 A, C, M, U, W, Y로 모두 6개이고, ㉡으로 나오는 알파벳은 H, O, X로 모두 3개입니다.

2주 특강 창의 · 융합 · 코딩 **80쪽~85쪽**

1

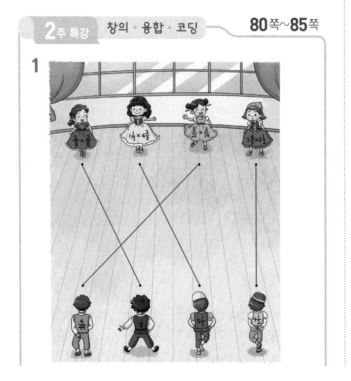

2 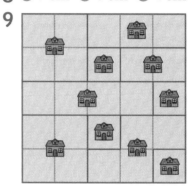 에 ○표
COW

3 진식   **4** 재현

5 85 m   **6** $38\frac{1}{3}$ cm²

7 2개

8 ❶ 7 cm ❷ 6 cm ❸ 4 cm

9

10 $\frac{1}{200}$

1 $\frac{\overset{1}{2}}{3} \times \frac{\overset{1}{3}}{\underset{4}{8}} = \frac{1}{4}$, $1\frac{1}{7} \times 4\frac{2}{3} = \frac{8}{\underset{1}{7}} \times \frac{\overset{2}{14}}{3} = \frac{16}{3} = 5\frac{1}{3}$,

$\frac{\overset{4}{8}}{\underset{7}{21}} \times \frac{\overset{1}{3}}{\underset{7}{14}} = \frac{4}{49}$, $3\frac{4}{5} \times 2\frac{1}{2} = \frac{19}{\underset{1}{5}} \times \frac{\overset{1}{5}}{2} = \frac{19}{2} = 9\frac{1}{2}$

2 선대칭도형인 알파벳:

H, W, I, D, E, X, O, C, U

따라서 선대칭도형인 알파벳끼리 모은 것은 **COW**입니다.

3 바람개비는 어떤 직선을 따라 접어도 완전히 겹치도록 접을 수 없으므로 선대칭도형이 아니고, 가운데 점을 중심으로 180° 돌렸을 때 처음 모양과 완전히 겹치므로 점대칭도형입니다.

4 유성: $2\frac{2}{5} \times 2\frac{2}{5} = \frac{12}{5} \times \frac{12}{5} = \frac{144}{25} = 5\frac{19}{25}$ (m²)

재현: $3\frac{1}{2} \times 1\frac{3}{4} = \frac{7}{2} \times \frac{7}{4} = \frac{49}{8} = 6\frac{1}{8}$ (m²)

➡ $5\frac{19}{25} < 6\frac{1}{8}$이므로 재현이의 꽃밭이 더 넓습니다.

5 점대칭도형을 완성하면 대칭의 중심은 대응점끼리 이은 선분을 둘로 똑같이 나누므로
(선분 ㄱㄴ)＝(선분 ㅁㄴ)＝85 m입니다.
따라서 해안선에서 배까지의 거리는 85 m입니다.

6 색종이를 선을 따라 자른 후 펼치면 오른쪽과 같이 5개의 모양이 생깁니다.

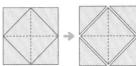

그중에서 가장 큰 모양은 가운데 사각형이고, 색종이 전체 넓이의 $\frac{1}{2}$이므로 가장 큰 모양의 넓이는

$76\frac{2}{3} \times \frac{1}{2} = \frac{\overset{115}{\cancel{230}}}{3} \times \frac{1}{\cancel{2}} = \frac{115}{3} = 38\frac{1}{3}$ (cm²)입니다.

7

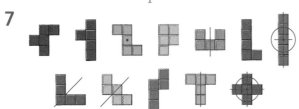

선대칭도형이면서 점대칭도형인 펜토미노는 모두 2개 입니다.

8 ❶ 변 ㄹㅁ의 대응변은 변 ㄱㄴ입니다.
➡ (변 ㄹㅁ)=(변 ㄱㄴ)=7 cm
❷ 변 ㅁㅂ의 대응변은 변 ㄴㄷ입니다.
➡ (변 ㅁㅂ)=(변 ㄴㄷ)=6 cm
❸ (변 ㄱㅂ)+(변 ㄹㄷ)=34−(7+6)×2=8 (cm)
이고, 변 ㄱㅂ과 변 ㄹㄷ은 대응변이므로 길이가 같 습니다. ➡ (변 ㄱㅂ)=8÷2=4 (cm)

9 규칙에 따라 나누어진 영역이 점대칭도형이 되고, 집이 대칭의 중심에 놓이도록 나누어 봅니다.

10 $\frac{1}{\cancel{2}} \times \frac{\overset{1}{\cancel{2}}}{15} \times \frac{\overset{1}{\cancel{3}}}{40} = \frac{1}{200}$

누구나 100점 TEST **86쪽~87쪽**

1 $\frac{1}{3}$	2 $16\frac{2}{3}$ cm²	3 $110\frac{1}{4}$ m²
4 30°	5 100	6 48 cm²
7 3개		

1 어제 사용하고 남은 물은 전체의 $1-\frac{1}{3}=\frac{2}{3}$이고 오늘은 그중의 $\frac{1}{2}$을 사용했으므로 오늘 사용한 물의 양은 전체의 $\frac{\overset{1}{\cancel{2}}}{3} \times \frac{1}{\cancel{2}} = \frac{1}{3}$입니다.

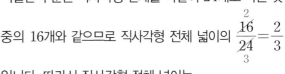

정답 및 해설

2 색칠한 부분은 직사각형 전체를 똑같이 24개로 나눈 것 중의 16개와 같으므로 직사각형 전체 넓이의 $\frac{\overset{2}{\cancel{16}}}{\underset{3}{\cancel{24}}} = \frac{2}{3}$ 입니다. 따라서 직사각형 전체 넓이는

$7\frac{1}{2} \times 3\frac{1}{3} = \frac{\overset{5}{\cancel{15}}}{\underset{1}{\cancel{2}}} \times \frac{\overset{5}{\cancel{10}}}{\underset{1}{\cancel{3}}} = 25$ (cm²)이므로 색칠한 부분 의 넓이는 $25 \times \frac{2}{3} = \frac{50}{3} = 16\frac{2}{3}$ (cm²)입니다.

3 (새로 만든 직사각형의 가로)
$= 5\frac{1}{4} \times 3\frac{1}{3} = \frac{\overset{7}{\cancel{21}}}{\underset{2}{\cancel{4}}} \times \frac{\overset{5}{\cancel{10}}}{\underset{1}{\cancel{3}}} = \frac{35}{2} = 17\frac{1}{2}$ (m)

(새로 만든 직사각형의 세로)
$= 5\frac{1}{4} \times 1\frac{1}{5} = \frac{\overset{}{\cancel{21}}}{\underset{2}{\cancel{4}}} \times \frac{\overset{3}{\cancel{6}}}{5} = \frac{63}{10} = 6\frac{3}{10}$ (m)

➡ (새로 만든 직사각형의 넓이)
$= 17\frac{1}{2} \times 6\frac{3}{10} = \frac{\overset{7}{\cancel{35}}}{2} \times \frac{63}{\underset{2}{\cancel{10}}} = \frac{441}{4} = 110\frac{1}{4}$ (m²)

4 사각형 ㄱㄴㅂㅁ과 사각형 ㄹㄷㅁㅂ은 서로 합동입니다. 합동인 사각형에서 대응각의 크기는 서로 같으므로 (각 ㄱㅁㅂ)=(각 ㄷㅂㅁ)=30°입니다.

5

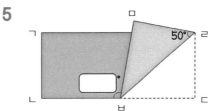

삼각형 ㅁㅂㄹ과 삼각형 ㄷㅂㄹ은 서로 합동이므로 대 응각의 크기가 같습니다. 삼각형 ㅁㅂㄹ에서 (각 ㅁㄹㅂ)=180°−90°−50°=40°이므로 각 ㄷㄹㅂ 의 크기도 40°입니다.
➡ (각 ㅁㅂㄴ)=180°−(각 ㅁㅂㄹ)−(각 ㄷㅂㄹ)
  =180°−40°−40°=100°

6 (선분 ㄷㄹ)=(선분 ㄴㄹ)=8 cm이므로 삼각형 ㄱㄴㄷ 은 밑변의 길이가 8+8=16 (cm)이고 높이가 6 cm인 삼각형입니다.
➡ (삼각형 ㄱㄴㄷ의 넓이)=16×6÷2=48 (cm²)

7 선대칭도형: ㅁ, ㅅ, ㅇ, ㅌ, ㅍ
점대칭도형: ㄹ, ㅁ, ㅇ, ㅍ
따라서 선대칭도형이면서 점대칭도형인 문자는 ㅁ, ㅇ, ㅍ으로 모두 3개입니다.

3주

1-1 (1) 0.7, 0.7, 2.1   (2) 4, 4, 32, 3.2

1-2 (1) 1.4, 1.4, 2.8   (2) 23, 23, 69, 6.9

2-1 (1) 0.8   (2) 6, 6, 18, 1.8

2-2 (1) 10.5   (2) 12, 12, 96, 9.6

3-1 (1) 0.06   (2) 1.8

3-2 (1) 0.11   (2) 3.64

4-1 456.5, 45.65, 4.565

4-2 285, 28.5, 2.85

5-1 직육면체   **5**-2 정육면체

1-1 (1) 0.7×3은 0.7을 3번 너한 것과 같습니다.

(2) 0.4를 $\frac{4}{10}$로 바꾸어 계산할 수 있습니다.

1-2 (1) 1.4×2는 1.4를 2번 더한 것과 같습니다.

(2) 2.3을 $\frac{23}{10}$으로 바꾸어 계산할 수 있습니다.

2-1 (1) 곱하는 수가 $\frac{1}{10}$배이면 계산 결과가 $\frac{1}{10}$배입니다.

(2) 0.6을 $\frac{6}{10}$으로 바꾸어 계산할 수 있습니다.

2-2 (2) 1.2를 $\frac{12}{10}$로 바꾸어 계산할 수 있습니다.

3-1 (2)
$$\begin{array}{r} 1.2 \\ \times\ 1.5 \\ \hline 6\ 0 \\ 1\ 2\ \ \\ \hline 1.8\ \cancel{0} \end{array}$$

3-2 (2)
$$\begin{array}{r} 1.4 \\ \times\ 2.6 \\ \hline 8\ 4 \\ 2\ 8\ \ \\ \hline 3.6\ 4 \end{array}$$

4-1 곱하는 수의 소수점 아래 자리 수가 하나씩 늘어날 때마다 곱의 소수점이 왼쪽으로 한 자리씩 옮겨집니다.

4-2 곱해지는 수의 소수점 아래 자리 수가 하나씩 늘어날 때마다 곱의 소수점이 왼쪽으로 한 자리씩 옮겨집니다.

1일 개념·원리 길잡이   **92**쪽~**93**쪽

활동 문제 **92**쪽

❶ 4.8   ❷ 5.6   ❸ 5, 8.5   ❹ 6, 11.4

활동 문제 **93**쪽

❶ 5, 11.5   ❷ 6, 10.2

활동 문제 **92**쪽

❶ 1.6×3=4.8 (cm)

❷ 1.4×4=5.6 (cm)

❸ 1.7×5=8.5 (cm)

❹ 1.9×6=11.4 (cm)

활동 문제 **93**쪽

❶ 비어 있는 부분의 둘레는 길이가 2.3 cm인 변 5개의 합과 같습니다.

❷ 비어 있는 부분의 둘레는 길이가 1.7 cm인 변 6개의 합과 같습니다.

1일 서술형 길잡이 독해력 길잡이   **94**쪽~**95**쪽

1-1 6.6 cm

1-2 (1) 5개   (2) 15.5 cm

1-3 6, 3.7, 6, 22.2

2-1 6 cm

2-2

지혜는 퍼즐을 맞추고 있었습니다. 남은 퍼즐 조각은 모두 한 변의 길이가 2.3 cm인 정다각형 모양이고 빈 공간이 다음과 같을 때 빈 공간의 둘레를 구해 보세요.

; 16.1 cm

1-1 2.2×3=6.6 (cm)

1-2 (2) 3.1×5=15.5 (cm)

1-3 3.7×6=22.2 (cm)

2-1 정삼각형과 정사각형의 한 변이 맞닿게 이어 붙이면 비어 있는 부분을 채울 수 있습니다.

➡ (비어 있는 부분의 둘레)=1.2×5=6 (cm)

2-2 정삼각형과 정육각형의 한 변이 맞닿게 이어 붙이면 비어 있는 부분을 채울 수 있습니다.

➡ (비어 있는 부분의 둘레)=2.3×7=16.1 (cm)

1일 사고력·코딩   **96**쪽~**97**쪽

1 9.9 cm   **2** 169.8 kg

3 13.5   **4** 79.8 m

5 28.8 cm

1 (정삼각형의 둘레)=1.3×3=3.9 (cm)

(정사각형의 둘레)=1.5×4=6 (cm)

➡ 3.9+6=9.9 (cm)

2 1주일은 7일입니다.

(준영이가 1주일 동안 사용한 밀가루의 양)

$=23.2 \times 7 = 162.4$ (kg)

➜ (지윤이가 1주일 동안 사용한 밀가루의 양)

$\quad = 162.4 + 7.4 = 169.8$ (kg)

3 어떤 수를 $\square$라 하여 어떤 수를 먼저 구합니다.

$\square + 3 = 7.5$, $\square = 7.5 - 3 = 4.5$

➜ (바르게 계산한 값) $= 4.5 \times 3 = 13.5$

4 나무를 16그루 심었으므로 간격은 $16 - 1 = 15$(군데)

있습니다.

(도로의 길이) $= 5.32 \times 15 = 79.8$ (m)

5 비어 있는 부분의 둘레는 길이가 3.2 cm인 변이 9개

있는 것과 같습니다.

➜ $3.2 \times 9 = 28.8$ (cm)

2일 개념·원리 길잡이 **98**쪽~**99**쪽

활동 문제 **98**쪽

❶ 51.6 ❷ 34.4 ❸ 67.2 ❹ 44.8

활동 문제 **99**쪽

2210, 1760, 1.5, 3750

활동 문제 **98**쪽

❶ $60 \times 0.86 = 51.6$ (kg)

❷ $40 \times 0.86 = 34.4$ (kg)

❸ $60 \times 1.12 = 67.2$ (kg)

❹ $40 \times 1.12 = 44.8$ (kg)

2일 서술형 길잡이 독해력 길잡이 **100**쪽~**101**쪽

1-1 32 kg

1-2 ⑴ 100 kg ⑵ 75 kg

1-3 50, 50, 78

2-1 14720원

2-2  지호는 사탕 가게에서 사탕을 사려고 합니다. 1 kg당 사탕의 가격이 8500원일 때 사탕 0.8 kg 을 사는 데 필요한 돈은 얼마인지 구해 보세요.

; 6800원

2-3 16720원

1-1 (사과 상자 4개의 무게) $= 10 \times 4 = 40$ (kg)

➜ (저울에 표시되는 무게) $= 40 \times 0.8 = 32$ (kg)

1-2 ⑵ $100 \times 0.75 = 75$ (kg)

1-3 $50 \times 1.56 = 78$ (kg)

2-1 (고기 가격) $=$ (1 kg당 고기 가격) $\times 1.6$

$\quad\quad = 9200 \times 1.6 = 14720$(원)

2-2 (사탕 가격) $=$ (1 kg당 사탕 가격) $\times 0.8$

$\quad\quad = 8500 \times 0.8 = 6800$(원)

2-3 (페인트 가격) $=$ (1 L당 페인트 가격) $\times 2.2$

$\quad\quad = 7600 \times 2.2 = 16720$(원)

2일 사고력·코딩 **102**쪽~**103**쪽

1 2400   **2** ⑴ 1.9 ⑵ 4.1

3 8.64 kg

4 ⑴ 2600원 ⑵ 2300원 ⑶ 3200원

---

1 $10000 \times 0.6 = 6000$, $6000 > 5000$

$6000 \times 0.4 = 2400$, $2400 < 5000$

2 ⑴ $5 ♥ 3 = 5 \times 0.2 + 3 \times 0.3$

$\quad\quad = 1 + 3 \times 0.3 = 1 + 0.9 = 1.9$

⑵ $7 ♥ 9 = 7 \times 0.2 + 9 \times 0.3$

$\quad\quad = 1.4 + 9 \times 0.3 = 1.4 + 2.7 = 4.1$

3 세 바구니의 무게의 합: $3.2 + 3.7 + 2.1 = 9$ (kg)

➜ (저울에 표시되는 무게) $= 9 \times 0.96 = 8.64$ (kg)

4 ⑴ (과자의 가격) $= 2000 \times 1.2 = 2400$(원)

➜ (거스름돈) $= 5000 - 2400 = 2600$(원)

⑵ (이온 음료의 가격) $= 1800 \times 1.5 = 2700$(원)

➜ (거스름돈) $= 5000 - 2700 = 2300$(원)

⑶ (휴지의 가격) $= 1000 \times 0.9 = 900$(원)

➜ (거스름돈) $= 5000 - 900 \times 2$

$\quad\quad = 5000 - 1800 = 3200$(원)

3일 개념·원리 길잡이 **104**쪽~**105**쪽

활동 문제 **104**쪽

❶ 1.2, 1.2, 72.6 ❷ 1.8, 1.8, 94.68

활동 문제 **105**쪽

❶ 0.75, 0.9, 0.9, 0.65 ❷ 0.5, 0.6, 0.6, 0.35

활동 문제 **104**쪽

❶ (1시간 12분 동안 가는 거리)

$=$ (1시간 동안 이동하는 거리) $\times$ (이동하는 시간)

$= 60.5 \times 1.2 = 72.6$ (km)

❶ (터널의 길이)=(기차가 이동한 거리)−(기차의 길이)
  =0.9−0.25=0.65 (km)

3일 서술형 길잡이 독해력 길잡이 106쪽~107쪽

1-1 78.75 km

1-2 (1) 2.75시간 (2) 172.7 km

1-3 0.9, 74.5, 0.9, 67.05

2-1 1.72 km

2-2 1분에 2.1 km를 가는 기차가 터널을 완전히 통과하는 데 48초가 걸렸습니다. 기차의 길이가 380 m일 때 터널의 길이는 몇 km인지 구해 보세요.

; 1.3 km

1-1 1시간 30분=$1\frac{30}{60}$시간=$1\frac{1}{2}$시간=1.5시간

→ (1시간 30분 동안 가는 거리)=52.5×1.5
  =78.75 (km)

1-2 (1) 2시간 45분=$2\frac{45}{60}$시간=$2\frac{3}{4}$시간=2.75시간

(2) (2시간 45분 동안 가는 거리)=62.8×2.75
  =172.7 (km)

1-3 54분=$\frac{54}{60}$시간=$\frac{9}{10}$시간=0.9시간

(54분 동안 가는 거리)=74.5×0.9
  =67.05 (km)

2-1 1분 42초=$1\frac{42}{60}$분=$1\frac{7}{10}$분=1.7분

(기차가 1분 42초 동안 이동한 거리)
  =1.2×1.7=2.04 (km)

→ (터널의 길이)=2.04−0.32=1.72 (km)

2-2 48초=$\frac{48}{60}$분=$\frac{8}{10}$분=0.8분

(기차가 48초 동안 이동한 거리)
  =2.1×0.8=1.68 (km)

→ (터널의 길이)=1.68−0.38=1.3 (km)

3일 사고력·코딩 108쪽~109쪽

1 5.148 km

2 112.14 km

3 15.39 cm

4 1.835 km

5 나, 가, 다

---

1 1시간 6분=$1\frac{6}{60}$시간=$1\frac{1}{10}$시간=1.1시간

(은호가 걸은 거리)=3.6×1.1=3.96 (km)

→ (병호가 걸은 거리)=(은호가 걸은 거리)×1.3
  =3.96×1.3=5.148 (km)

2 20분 동안 26.7 km만큼 가므로 1시간 동안
26.7×3=80.1 (km)만큼 갑니다.

1시간 24분=$1\frac{24}{60}$시간=$1\frac{2}{5}$시간=1.4시간

→ (1시간 24분 동안 가는 거리)
  =80.1×1.4=112.14 (km)

3 2분 42초=$2\frac{42}{60}$분=$2\frac{7}{10}$분=2.7분

(2분 42초 동안 탄 양초의 길이)
  =1.7×2.7=4.59 (cm)

→ (처음 양초의 길이)=10.8+4.59=15.39 (cm)

4 45초=$\frac{45}{60}$분=$\frac{3}{4}$분=0.75분

(왼쪽으로 가는 기차가 이동한 거리)
  =1.4×0.75=1.05 (km)

(오른쪽으로 가는 기차가 이동한 거리)
  =1.9×0.75=1.425 (km)

(두 기차가 출발점으로부터 떨어진 거리의 합)
  =(1.05−0.32)+(1.425−0.32)=1.835 (km)

5 • 1시간 18분=$1\frac{18}{60}$시간=$1\frac{3}{10}$시간=1.3시간

(가 자동차가 가는 거리)=60×1.3=78 (km)

• 1시간 36분=$1\frac{36}{60}$시간=$1\frac{6}{10}$시간=1.6시간

(나 자동차가 가는 거리)=53.5×1.6=85.6 (km)

• 2시간 15분=$2\frac{15}{60}$시간=$2\frac{1}{4}$시간=2.25시간

(다 자동차가 가는 거리)=32.6×2.25
  =73.35 (km)

→ 85.6>78>73.35이므로 이동한 거리가 긴 자동
차부터 순서대로 기호를 쓰면 나, 가, 다입니다.

4일 개념·원리 길잡이 110쪽~111쪽

❶ 30, 9 ❷ 9, 2.7 ❸ 2.7, 0.81

❶ 5 ❷ 4

❶ 0.5를 곱할 때마다 곱의 소수점 아래 자리 수는 한 자리씩 늘어나고 오른쪽 끝자리 숫자는 5가 반복됩니다.

❷ 0.4를 곱할 때마다 곱의 소수점 아래 자리 수는 한 자리씩 늘어나고 오른쪽 끝자리 숫자는 4, 6이 반복됩니다.

4일 서술형 **길잡이** 독해력 **길잡이**　**112**쪽~**113**쪽

1-1 4　　　　　　　**1**-2 0.81, 0.729, 9, 1, 9

1-3 (1) 5.76, 13.824　(2) 예 4, 6이 반복됩니다.　(3) 6

2-1 5.4 m

2-2 지유는 27.5 m 높이에서 공을 떨어뜨렸습니다. 공이 떨어진 높이의 0.8배만큼 튀어 오를 때 세 번째로 튀어 오른 높이는 몇 m인지 구해 보세요.

; 14.08 m

2-3 3.888 m

1-1 0.8, 0.8×0.8=0.64, 0.8×0.8×0.8=0.512,
0.8×0.8×0.8×0.8=0.4096,
0.8×0.8×0.8×0.8×0.8=0.32768……
0.8을 곱할 때마다 곱의 소수점 아래 자리 수가 한 자리씩 늘어나고 오른쪽 끝자리 숫자가 8, 4, 2, 6이 반복됩니다.
따라서 0.8을 10번 곱했을 때 곱의 오른쪽 끝자리 숫자는 4입니다.

1-2 0.9를 곱할 때마다 곱의 소수점 아래 자리 수가 한 자리씩 늘어나고 오른쪽 끝자리 숫자가 9, 1이 반복됩니다.
따라서 0.9를 15번 곱했을 때 곱의 오른쪽 끝자리 숫자는 9입니다.

1-3 (3) 2.4를 100번 곱했을 때 곱의 오른쪽 끝자리 숫자는 6입니다.

2-1 (세 번째로 튀어 오른 공의 높이)
=12.8×0.75×0.75×0.75
=9.6×0.75×0.75
=7.2×0.75=5.4 (m)

2-2 (세 번째로 튀어 오른 공의 높이)
=27.5×0.8×0.8×0.8
=22×0.8×0.8
=17.6×0.8=14.08 (m)

2-3 (세 번째로 튀어 오른 공의 높이)
=30×0.6×0.6×0.6×0.6
=18×0.6×0.6×0.6=10.8×0.6×0.6
=6.48×0.6=3.888 (m)

4일 사고력·코딩　**114**쪽~**115**쪽

1 0.006666　　　**2** 0.3

3 4　　　　　　**4** 3.9

1 곱해지는 수의 소수점 아래 자리 수가 하나씩 늘어나고 계산 결과는 같은 숫자가 4개씩 반복되면서 소수점 아래 자리 수가 하나씩 늘어나는 규칙입니다.
→ 다섯째 곱셈식: 0.0505×1.1=0.05555
→ 여섯째 곱셈식: 0.00606×1.1=0.006666

2 7.5×0.2=1.5, 1.5>1
1.5×0.2=0.3, 0.3<1

3 18번째 줄에 있는 소수는 1.8이고 모두 18개 있습니다.
1.8, 1.8×1.8=3.24, 1.8×1.8×1.8=5.832,
1.8×1.8×1.8×1.8=10.4976,
1.8×1.8×1.8×1.8×1.8=18.89568……
1.8을 곱할 때마다 곱의 소수점 아래 자리 수가 한 자리씩 늘어나고 오른쪽 끝자리 숫자는 8, 4, 2, 6이 반복됩니다.
따라서 1.8을 18번 곱했을 때 곱의 오른쪽 끝자리 숫자는 4입니다.

4 (첫 번째로 튀어 오른 공의 높이)
=21.6×0.5=10.8 (m)
(두 번째로 튀어 오른 공의 높이)
=(10.8+1.6)×0.5=12.4×0.5=6.2 (m)
(세 번째로 튀어 오른 공의 높이)
=(6.2+1.6)×0.5=7.8×0.5=3.9 (m)

5일 개념·원리 **길잡이**　**116**쪽~**117**쪽

활동 문제 **116**쪽

❶ 4, 32　❷ 8, 40　❸ 8, 64　❹ 8, 80

활동 문제 **117**쪽

❶ 2, 2, 22　❷ 4, 4, 30　❸ 2, 2, 4, 42

❹ 2, 2, 4, 52

모서리와 평행한 끈의 개수는 8개입니다.

각 모서리의 길이와 그 모서리에 평행한 끈의 개수를 각각 구하여 곱한 후 모두 더합니다.

5일 [서술형 길잡이] [독해력 길잡이] 118쪽~119쪽

1-1 128 cm

1-2 2, 2, 4, 11, 105

1-3 (1) 2개, 2개, 4개 (2) 102 cm

2-1 175 cm

2-2 현우는 동생에게 선물을 주기 위해 정육면체 모양의 상자에 선물을 넣어 포장하고 있습니다. 상자의 한 모서리의 길이는 12 cm이고 매듭을 묶는 데 8 cm를 사용하였다면 사용한 끈 전체의 길이는 몇 cm인지 구해 보세요.

; 104 cm

2-3 85 cm

1-1 길이가 20 cm인 모서리와 평행한 끈의 개수: 2개,
길이가 15 cm인 모서리와 평행한 끈의 개수: 2개,
길이가 10 cm인 모서리와 평행한 끈의 개수: 4개
➡ (사용한 끈 전체의 길이)
$=20 \times 2 + 15 \times 2 + 10 \times 4 + 18 = 128$ (cm)

1-3 (2) $16 \times 2 + 12 \times 2 + 9 \times 4 + 10 = 102$ (cm)

2-1 정육면체의 한 모서리의 길이는 20 cm이고 모서리에 평행한 끈의 개수는 8개입니다.
따라서 사용한 끈 전체의 길이는
$20 \times 8 + 15 = 175$ (cm)입니다.

2-2 정육면체의 한 모서리의 길이는 12 cm이고 모서리에 평행한 끈의 개수는 8개입니다.
따라서 사용한 끈 전체의 길이는
$12 \times 8 + 8 = 104$ (cm)입니다.

2-3 정육면체의 한 모서리의 길이는 9 cm이고 모서리에 평행한 끈의 개수는 8개입니다.
따라서 사용한 끈 전체의 길이는
$9 \times 8 + 13 = 85$ (cm)입니다.

5일 [사고력·코딩] 120쪽~121쪽

1 7

2

3 96 cm

4 4가지

5 22 cm

1 직육면체에는 길이가 같은 모서리가 4개씩 있으므로 서로 다른 세 모서리의 길이의 합은
$92 \div 4 = 23$ (cm)입니다.
➡ $\square = 23 - 11 - 5 = 7$ (cm)

2 • $5 \times 2 + 3 \times 2 + 4 \times 4 = 32$ (cm)
• $4 \times 2 + 5 \times 2 + 3 \times 4 = 30$ (cm)
• $5 \times 2 + 6 \times 2 + 4 \times 4 = 38$ (cm)

3 정육면체의 모서리와 평행한 끈의 개수는 모두 12개입니다. ➡ $8 \times 12 = 96$ (cm)

4 직육면체에는 길이가 같은 모서리가 4개씩 있으므로 길이가 서로 다른 세 모서리의 길이의 합은
$40 \div 4 = 10$ (cm)입니다.

㉠	1	1	1	2
㉡	2	3	4	3
㉢	7	6	5	5

➡ 4가지

5 직육면체 모양의 상자를 포장하는데 사용한 끈의 길이:
$32 \times 2 + 20 \times 2 + 18 \times 4$
$= 64 + 40 + 72 = 176$ (cm)
정육면체에서 모서리에 평행한 끈의 개수: 8개
➡ (길이) $= 176 \div 8 = 22$ (cm)

3주 특강 [창의·융합·코딩] 122쪽~127쪽

1 2.75×1.8에 ○표   2 주희

3 108 cm   4 96 cm

5 ❶ 40.5 kg   ❷ 아닙니다에 ○표

6 4.05 kg   7 24960 km

8 ❶ 4.6달러   ❷ 59.2위안   ❸ 34.5유로

9 3.36

1 $0.76 \times 5.5 = 4.18$, $12.8 \times 0.4 = 5.12$,
$2.75 \times 1.8 = 4.95$, $6.2 \times 0.9 = 5.58$

2 주희: $2.83 \times 5.6 = 15.848$ (m²)
민주: $3.2 \times 5 \div 2 = 16 \div 2 = 8$ (m²)
영아: $5.11 \times 2.5 = 12.775$ (m²)
➡ $15.848 > 12.775 > 8$이므로 가장 넓은 꽃밭을 가꾼 친구는 주희입니다.

3 길이가 15 cm인 모서리가 4개, 6 cm인 모서리가 8개인 직육면체입니다.
(모든 모서리의 길이의 합)
$= 15 \times 4 + 6 \times 8 = 60 + 48 = 108$ (cm)

4 정육면체의 모서리의 길이는 모두 같고 모서리는 12개입니다.
따라서 지아가 만든 정육면체의 모든 모서리의 길이의 합은 $8 \times 12 = 96$ (cm)입니다.

5 ❶ (성진이의 표준 체중)$=(145-100)\times0.9$
$\qquad\qquad\qquad\qquad=45\times0.9=40.5$ (kg)

❷ $40.5\times1.2=48.6$ (kg)이고 $48<48.6$이므로 성진이는 비만이 아닙니다.

6 두 볼링공의 무게의 차는 $15-6=9$ (파운드)이고, 1파운드는 0.45 kg이므로 두 볼링공의 무게의 차는 $0.45\times9=4.05$ (kg)입니다.

7 지구의 반지름이 1일 때 해왕성의 반지름은 3.9이므로 지구의 반지름이 6400 km이면 해왕성의 반지름은 6400 km의 3.9배인 $6400\times3.9=24960$ (km)입니다.

8 ❶ 5000원은 1000원의 5배입니다.
➡ $0.92\times5=4.6$(달러)

❷ 10000원은 1000원의 10배입니다.
➡ $5.92\times10=59.2$(위안)

❸ 46000원은 1000원의 46배입니다.
➡ $0.75\times46=34.5$(유로)

9 $4.2\times0.8=3.36$

누구나 100점 TEST 128쪽~129쪽

1 19.2 cm   **2** 23.92 kg

3 1120원   **4** 1950원

5 191.25 km   **6** 9

7 73 cm

---

2 $26\times0.92=23.92$ (kg)

4 (연필 1자루의 가격)$=500\times1.3=650$(원)
➡ (연필 3자루의 가격)$=650\times3=1950$(원)

5 2시간 30분$=2\frac{30}{60}$시간$=2\frac{1}{2}$시간$=2.5$시간
➡ (2시간 30분 동안 가는 거리)
$\quad=76.5\times2.5=191.25$ (km)

6 0.3을 곱할 때마다 곱의 소수점 아래 자리 수가 한 자리씩 늘어나고 오른쪽 끝자리 숫자는 3, 9, 7, 1이 반복됩니다. 따라서 여섯째에 알맞은 곱셈식에서 곱의 오른쪽 끝자리 숫자는 9입니다.

7 길이가 10 cm인 모서리와 평행한 끈의 개수: 2개
길이가 6 cm인 모서리와 평행한 끈의 개수: 2개
길이가 8 cm인 모서리와 평행한 끈의 개수: 4개
➡ (사용한 끈 전체의 길이)
$\quad=10\times2+6\times2+8\times4+9=73$ (cm)

4주

4주에는 무엇을 공부할까? ❷   132쪽~133쪽

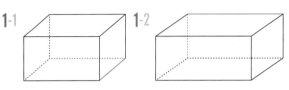
1-1   1-2

2-1 예   1 cm   예

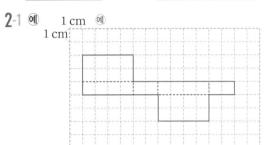

2-2 예   1 cm   예

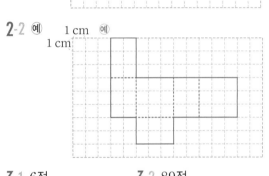

3-1 6점   3-2 89점

4-1 (1) 1   (2) 0   4-2 (1) $\frac{1}{2}$ (2) $\frac{1}{2}$

1-1 보이는 모서리는 실선으로, 보이지 않는 모서리는 점선으로 그립니다.

3-1 점수의 합계는 $2+5+8+6+9=30$(점)입니다.
점수의 평균은 $30\div5=6$(점)입니다.

3-2 점수의 합계는 $86+98+80+92=356$(점)입니다.
점수의 평균은 $356\div4=89$(점)입니다.

4-2 (2) 화살이 빨간색과 파란색에 멈출 가능성은 각각 '반 반이다'이므로 수로 표현하면 $\frac{1}{2}$입니다.

1일 개념·원리 길잡이   134쪽~135쪽

활동 문제 134쪽

❶ 8, 1   ❷ 4, 2   ❸ 4, 2

활동 문제 135쪽

❶ 4   ❷ 18

❶ $2 \times 2 \times 1 = 4$(개)

❷ $3 \times 3 \times 2 = 18$(개)

1일 서술형 **길잡이** 독해력 **길잡이**　　**136**쪽~**137**쪽

1-1 72 cm

1-2 (1) 12 cm (2) 144 cm

2-1 4가지

2-2 똑같은 정육면체가 9개 있습니다. 정육면체 9개를 모두 쌓아서 큰 직육면체를 만들려고 합니다. 정육면체 9개로 만들 수 있는 서로 다른 직육면체는 모두 몇 가지인지 구해 보세요. (단, 돌렸을 때 같은 모양이 되는 경우는 1가지로 셉니다.)

; 2가지

2-3 2가지

1-1 만든 정육면체의 한 모서리의 길이는 $2 \times 3 = 6$ (cm) 입니다.

(모든 모서리의 길이의 합) $= 6 \times 12 = 72$ (cm)

1-2 (1) $4 \times 3 = 12$ (cm)

　(2) (모든 모서리의 길이의 합) $= 12 \times 12 = 144$ (cm)

2-1

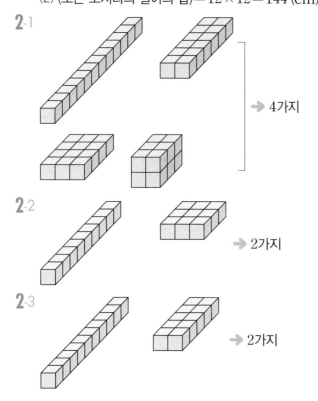

➔ 4가지

2-2 ➔ 2가지

2-3 ➔ 2가지

1일 사고력·코딩　　**138**쪽~**139**쪽

1 12개　　　2 68 cm

3 2가지　　　4 48 cm

5 (1) 54개　(2) 21개　(3) 33개

1 과자를 2개씩 6층까지 넣을 수 있으므로
　$1 \times 2 \times 6 = 12$(개)가 들어갑니다.

2 잘린 두부는 $20 \div 10 = 2$ (cm), $20 \div 2 = 10$ (cm),
　5 cm인 모서리가 4개씩 있습니다.
　➔ $(2 + 10 + 5) \times 4 = 68$ (cm)

3 다음과 같은 모양으로 직육면체를 만들 수 있습니다.

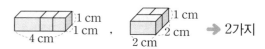

　➔ 2가지

4 한 층에 4개씩 2층으로 쌓으면 정육면체가 만들어집니다.
　만든 정육면체의 한 모서리의 길이는 4 cm입니다.
　➔ $4 \times 12 = 48$ (cm)

5 (1) 나눈 9조각의 전체 면의 수는 $6 \times 9 = 54$(개)입니다.
　(2) (위쪽 면의 수) $+$ (옆면의 수)
　　$= 3 \times 3 + 3 \times 4 = 9 + 12 = 21$(개)
　(3) 초콜릿 크림이 묻지 않은 면은 $54 - 21 = 33$(개)입니다.

2일 개념·원리 **길잡이**　　**140**쪽~**141**쪽

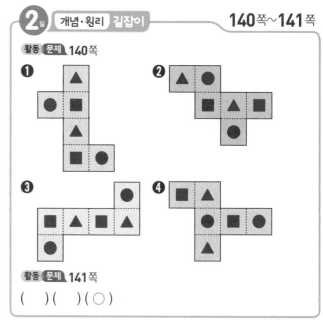

(　)(　)(◯)

첫 번째 전개도는 ■와 ●가 마주 보는 면에 있으므로 바르게 그린 것이 아닙니다.

두 번째 전개도는 □와 ＋가 마주 보는 면에 있으므로 바르게 그린 것이 아닙니다.

파란색과 마주 보는 면은 빨간색이고 전개도에서 ⓒ입니다.

두 번째와 세 번째를 보면 노란색과 마주 보는 면은 검정색이고 전개도에서 ⓒ입니다.

2일 서술형 길잡이 독해력 길잡이 142쪽~143쪽

1-1 (위에서부터) 9, 5

1-2 (1) 6 (2) 18 (3) 8, 13

2-1

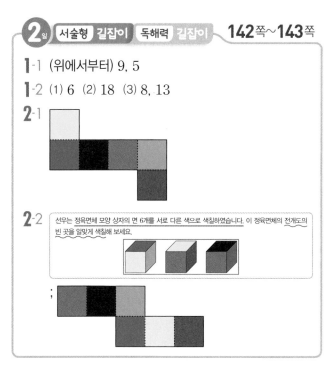

2-2 선우는 정육면체 모양 상자의 면 6개를 서로 다른 색으로 색칠하였습니다. 이 정육면체의 전개도의 빈 곳을 알맞게 색칠해 보세요.

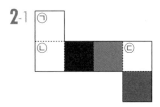

1-1 마주 보는 면의 수는 ⊙과 4, 6과 7, ⓒ과 8입니다.

6+7=13이므로

⊙+4=13에서 ⊙=13-4=9이고

ⓒ+8=13에서 ⓒ=13-8=5입니다.

1-2 (2) 12+6=18

(3) ⊙과 마주 보는 면의 수는 10입니다.

➡ ⊙=18-10=8

ⓒ과 마주 보는 면의 수는 5입니다.

➡ ⓒ=18-5=13

2-1

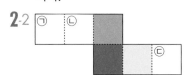

첫 번째와 두 번째를 보면 보라색과 마주 보는 면은 파란색이고 전개도에서 ⓒ입니다.

첫 번째와 세 번째를 보면 빨간색과 마주 보는 면은 노란색이고 전개도에서 ⊙입니다.

초록색과 마주 보는 면은 검정색이고 전개도에서 ⓒ입니다.

2-2

첫 번째와 두 번째를 보면 초록색과 마주 보는 면은 보라색이고 전개도에서 ⊙입니다.

2일 사고력·코딩 144쪽~145쪽

1 ⊙

2

3 (1) 예

4 38

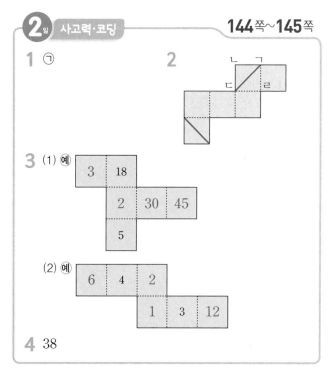

1 ⓒ: 보라색과 초록색이 만나므로 주어진 전개도를 접은 정육면체가 아닙니다.

ⓒ: 노란색과 검정색이 만나므로 주어진 전개도를 접은 정육면체가 아닙니다.

3 (1) $18 \times 5 = 90$

$90 = 1 \times 90 = 2 \times 45 = 3 \times 30 = 5 \times 18 = 6 \times 15$ $= 9 \times 10$이므로 곱해서 90이 되도록 수를 써넣습니다.

(2) $4 \times 3 = 12$

$12 = 1 \times 12 = 2 \times 6 = 3 \times 4$이므로 곱해서 12가 되도록 수를 써넣습니다.

4 전개도를 접으면 마주 보는 면에 적힌 수는 각각 1과 5, 2와 7, 4와 8입니다.

따라서 바닥에 닿은 면에 적힌 수는 다음과 같습니다.

8	2	4
2	1	7
8	5	1

➡ 합: $8+2+4+2+1+7+8+5+1=38$

3일 개념·원리 길잡이 — 146쪽~147쪽

활동 문제 146쪽

활동 문제 147쪽

❶ 3, 4, 300, 4, 75 ❷ 2, 78, 3, 258, 3, 86

활동 문제 146쪽

$86+94=180$ ➡ (수학 점수)$=270-180=90$(점)

$91+91=182$ ➡ (수학 점수)$=270-182=88$(점)

$93+92=185$ ➡ (수학 점수)$=270-185=85$(점)

활동 문제 147쪽

❶ $(70\times3+90)\div4=(210+90)\div4=300\div4=75$(점)

❷ $(90\times2+78)\div3=(180+78)\div3=258\div3=86$(점)

3일 서술형 길잡이 독해력 길잡이 — 148쪽~149쪽

1-1 40.2

1-2 3, 126.9, 84, 126.9, 84, 42.9

1-3 (1) 170.8 kg (2) 129.2 kg (3) 41.6 kg

2-1 29장

2-2 경호네 모둠 학생들이 가지고 있는 딱지 수를 나타낸 표입니다. 현규가 경호네 모둠으로 들어가면 경호네 모둠 학생들이 가지고 있는 딱지 수의 평균은 2장 더 적어집니다. 현규가 가지고 있는 딱지의 수는 몇 장인지 구해 보세요.

경호네 모둠 학생들이 가지고 있는 딱지 수

사람	경호	우정	민희	영수
딱지 수(장)	12	15	8	21

; 4장

1-1 (몸무게의 합)=(평균)×(사람 수)
$=41.4\times3=124.2$ (kg)

(진서와 다영이의 몸무게의 합)
$=43.2+40.8=84$ (kg)

➡ (영진이의 몸무게)$=124.2-84=40.2$ (kg)

1-3 (1) (네 사람의 몸무게의 합)$=42.7\times4=170.8$ (kg)

(2) (세 사람의 몸무게의 합)$=41.8+43.2+44.2$
$=129.2$ (kg)

(3) (정수의 몸무게)$=170.8-129.2=41.6$ (kg)

2-1 (정우네 모둠 학생들이 가지고 있는 딱지 수의 평균)
$=(10+13+15+8+9)\div5=55\div5=11$(장)

➡ (민호의 딱지 수)$=11+3\times6=29$(장)

2-2 (경호네 모둠 학생들이 가지고 있는 딱지 수의 평균)
$=(12+15+8+21)\div4=56\div4=14$(장)

➡ (현규의 딱지 수)$=14-2\times5=4$(장)

3일 사고력·코딩 — 150쪽~151쪽

1 76점   2 29번

3 96점   4 60 kg

5 24, 34

1 (세 과목의 점수의 합)$=74\times3=222$(점)

(다섯 과목의 점수의 평균)$=(222+81+77)\div5$
$=380\div5=76$(점)

2 (유진이의 줄넘기 기록의 평균)
$=(26+32+17+25)\div4=100\div4=25$(번)

➡ (세진이의 5회 기록)
$=25\times5-(30+28+16+22)$
$=125-96=29$(번)

3 예은이의 수학 점수를 □점이라고 하면 연주의 수학 점수는 (□−4)점입니다.

세 사람의 점수의 평균이 92점이므로 점수의 합은
$92\times3=276$(점)입니다.

□+(□−4)+88=276, □+(□−4)=188,

□+□=192, □=96

4 처음에 엘리베이터에 탄 8명의 몸무게의 합:
$62+84+67+78+70+45+72+82$
$=560$ (kg)

다음 층에서 탄 4명의 몸무게의 합:
$800-560=240$ (kg)

➡ 다음 층에서 탄 4명의 몸무게의 평균:
$240\div4=60$ (kg)

5 재우가 가지고 있는 딱지 수를 더하면 모두 5명이 됩니다. 딱지 수의 평균이 20장보다 많고 22장보다 적어야 하므로 5명이 가지고 있는 딱지 수의 합이
$20\times5=100$(장)보다 많고 $22\times5=110$(장)보다 적어야 합니다.

연지네 모둠 학생들이 가지고 있는 딱지 수의 합은
$17+26+15+18=76$(장)입니다.

$100-76=24$(장), $110-76=34$(장)

따라서 재우가 가지고 있는 딱지 수의 범위는 24장 초과 34장 미만입니다.

4일 개념·원리 **길잡이**　　**152**쪽~**153**쪽

활동 문제 **152**쪽

활동 문제 **153**쪽

❶ 6점　❷ 10점

활동 문제 **152**쪽

(남학생들의 키의 평균)=(142+145+146+147)÷4
　　　　　　　　　　　=580÷4=145 (cm)
(여학생들의 키의 평균)=(140+144)÷2
　　　　　　　　　　　=284÷2=142 (cm),
(전체 학생들의 평균)=(580+284)÷6
　　　　　　　　　　=864÷6=144 (cm)

활동 문제 **153**쪽

❶ (4명의 점수의 합)=7×4=28(점)
　(먼저 쏜 2명의 점수의 합)=8×2=16(점)
　➜ (나중에 쏜 2명의 점수의 합)=(28-16)÷2
　　　　　　　　　　　　　　　=12÷2=6(점)

❷ (6명의 점수의 합)=8×6=48(점)
　(먼저 쏜 4명의 점수의 합)=7×4=28(점)
　➜ (나중에 쏜 2명의 점수의 합)=(48-28)÷4
　　　　　　　　　　　　　　　=20÷2=10(점)

4일 서술형 **길잡이** 독해력 **길잡이**　　**154**쪽~**155**쪽

1-1　42 kg
1-2　(1) 222.5 kg　(2) 121.5 kg
　　　(3) 344 kg　(4) 8명　(5) 43 kg
2-1　73점
2-2
연수네 반 20명의 수학 시험 점수의 평균은 70점입니다. 이 중 5명의 수학 시험 점수의 평균이 85점일 때 나머지 학생들의 수학 시험 점수의 평균을 구해 보세요.
　; 65점
2-3　149 cm

1-1 (남학생 3명의 몸무게의 평균)=43.8×3
　　　　　　　　　　　　　　　=131.4 (kg)
　(여학생 2명의 몸무게의 평균)=39.3×2
　　　　　　　　　　　　　　=78.6 (kg)
　➜ (전체 학생들의 몸무게의 평균)
　　　=(131.4+78.6)÷5=210÷5=42 (kg)

1-2 (1) (남학생 5명의 몸무게의 평균)
　　　　=44.5×5=222.5 (kg)
　　(2) (여학생 3명의 몸무게의 평균)
　　　　=40.5×3=121.5 (kg)
　　(3) (전체 학생들의 몸무게의 합)
　　　　=222.5+121.5=344 (kg)
　　(4) (전체 학생 수)=5+3=8(명)
　　(5) (전체 학생들의 몸무게의 평균)
　　　　=344÷8=43 (kg)

2-1 (가희네 반 30명의 수학 시험 점수의 합)
　　　=76×30=2280(점)
　(10명의 수학 시험 점수의 합)=82×10=820(점)
　(나머지 학생들의 수학 시험 점수의 평균)
　　=(2280-820)÷(30-10)=1460÷20=73(점)

2-2 (연수네 반 20명의 수학 시험 점수의 합)
　　　=70×20=1400(점)
　(5명의 수학 시험 점수의 합)=85×5=425(점)
　(나머지 학생 15명의 수학 시험 점수의 평균)
　　=(1400-425)÷(20-5)=975÷15=65(점)

2-3 (인수네 반 30명의 키의 합)
　　　=148×30=4440 (cm)
　(6명의 키의 합)=144×6=864 (cm)
　(나머지 학생들의 키의 평균)
　　=(4440-864)÷(30-6)
　　=3576÷24=149 (cm)

4일 사고력·코딩　　**156**쪽~**157**쪽

1 43 kg
2 (1) 96 kg, 116 kg, 124 kg　(2) 168 kg
　 (3) 56 kg
3 44 kg　　　　　　　　　**4** 14분
5 66점

1 (1반 학생들의 몸무게의 합)=43×18=774 (kg)
　(2반 학생들의 몸무게의 합)=41.9×20=838 (kg)
　(3반 학생들의 몸무게의 합)=44×22=968 (kg)
　➜ (세 반 학생들의 몸무게의 평균)
　　=(774+838+968)÷(18+20+22)
　　=2580÷60=43 (kg)

5단계 B • **29**

2 (1) (성우와 어머니의 몸무게의 합)$=48 \times 2 = 96$ (kg)

(성우와 아버지의 몸무게의 합)$=58 \times 2 = 116$ (kg)

(어머니와 아버지의 몸무게의 합)$=62 \times 2$
$=124$ (kg)

(2) (3명의 몸무게의 합)$=(96 + 116 + 124) \div 2$
$=336 \div 2 = 168$ (kg)

(3) (3명의 몸무게의 평균)$=168 \div 3 = 56$ (kg)

3 (10명의 몸무게의 합)$=42 \times 10 = 420$ (kg)

(지우네 모둠 4명의 몸무게의 합)
$=41.4 \times 4 = 165.6$ (kg)

(은희네 모둠 3명의 몸무게의 합)
$=40.8 \times 3 = 122.4$ (kg)

➡ (수지네 모둠 3명의 몸무게의 평균)
$=(420 - 165.6 - 122.4) \div 3$
$=132 \div 3 = 44$ (kg)

4 (여학생 4명의 평균)$=(72 \times 7 - 80 \times 3) \div 4$
$=264 \div 4 = 66$(분)

➡ $80 - 66 = 14$(분)

5 (두 반 학생의 점수의 합)$=72 \times (18 + 22)$
$=72 \times 40 = 2880$(점)

윤서네 반의 점수의 평균을 □점이라 하면

(윤서네 반의 점수의 합)$=(\square \times 18)$점,

(강호네 반의 점수의 합)$=1692$점입니다.

➡ $\square \times 18 + 1692 = 2880$,
$\square \times 18 = 1188$, $\square = 66$

5일 | 개념·원리 길잡이 158쪽~159쪽

활동 문제 158쪽

❶ ❷
❸ ❹

활동 문제 159쪽

❶ ( ) (○) ❷ (○) ( )
❸ (○) ( )

활동 문제 158쪽

다른색 구슬과 파란색 구슬의 수가 같도록 만듭니다.

활동 문제 159쪽

❶ 8 이상인 수는 8과 9입니다. ➡ 2개

8 이하인 수는 1, 2, 3, 4, 5, 6, 7, 8입니다. ➡ 8개

따라서 8 이하인 수가 나올 가능성이 더 큽니다.

❷ 6 초과인 수는 7, 8, 9입니다. ➡ 3개

3 미만인 수는 1, 2입니다. ➡ 2개

따라서 6 초과인 수가 나올 가능성이 더 큽니다.

❸ 홀수는 1, 3, 5, 7, 9입니다. ➡ 5개

짝수는 2, 4, 6, 8입니다. ➡ 4개

따라서 홀수일 가능성이 더 큽니다.

5일 | 서술형 길잡이 독해력 길잡이 160쪽~161쪽

1-1 ~아닐 것 같다

1-2 (1) 12개 (2) 9개 (3) ~일 것 같다

1-3 (1) 12개, 6개 (2) 반반이다

2-1 2개

2-2
주머니 안에 빨간색 구슬이 3개, 파란색 구슬이 4개 있습니다. 구슬 1개를 주머니에서 꺼냈을 때 파란색일 가능성이 $\frac{1}{2}$이 되려면 주머니에 빨간색 구슬을 몇 개 넣어야 하는지 구해 보세요.

; 1개

2-3 7개

1-1 만들 수 있는 두 자리 수: 23, 24, 26, 32, 34, 36, 42, 43, 46, 62, 63, 64 ➡ 12개

홀수인 두 자리 수: 23, 43, 63 ➡ 3개

12개 중에서 3개이므로 가능성을 말로 표현하면 '~아닐 것 같다'입니다.

1-2 (1) 만들 수 있는 두 자리 수: 13, 17, 18, 31, 37, 38, 71, 73, 78, 81, 83, 87 ➡ 12개

(2) 홀수인 두 자리 수: 13, 17, 31, 37, 71, 73, 81, 83, 87 ➡ 9개

(3) 12개 중에서 9개이므로 가능성을 말로 표현하면 '~일 것 같다'입니다.

1-3 (1) ⑭, ⑯, 19, 41, ㊷, 49, 61, ㊽, 69, 91, ㊾, ㊿
(2) 12개 중에 짝수인 두 자리 수는 6개이므로 만든 두 자리 수가 짝수일 가능성을 말로 표현하면 '반반이다'입니다.

2-1 구슬 1개를 주머니에서 꺼냈을 때, 꺼낸 구슬이 보라색 일 가능성이 $\frac{1}{2}$이 되려면 노란색 구슬과 보라색 구슬의 개수가 같아야 합니다. 따라서 노란색 구슬을 $3-1=2$(개) 빼야 합니다.

2-3 검은색일 가능성이 $\frac{1}{2}$이므로 파란색 구슬과 검은색 구슬의 개수가 같습니다. 따라서 처음에 있던 검은색 구슬의 개수는 $10-3=7$(개)입니다.

5일 │ **사고력·코딩** 　　　　　　　**162**쪽~**163**쪽

1 6개, 3개　　　　　　**2** ㉡

3 $\frac{1}{2}$　　　　　　　　**4** (1) ㉡ (2) 윤아

---

1 노란색일 가능성과 파란색일 가능성이 각각 $\frac{1}{2}$이므로 초록색일 가능성은 0입니다.
→ 초록색 구슬은 3개 모두 빼야 합니다.
초록색 구슬을 모두 빼면 노란색 구슬 10개와 파란색 구슬 4개가 남습니다.
파란색일 가능성이 $\frac{1}{2}$이 되려면 노란색 구슬과 파란색 구슬의 개수가 같아야 합니다.
→ 노란색 구슬은 $10-4=6$(개) 빼야 합니다.

2 주사위 2개를 동시에 던져서 나오는 경우는 36가지입니다.
그중에서 같은 눈이 나오는 경우는 (1, 1), (2, 2), (3, 3), (4, 4), (5, 5), (6, 6)으로 6가지입니다.
따라서 진구의 말이 무인도에서 한 번에 탈출할 가능성은 '~아닐 것 같다'이므로 ㉡입니다.

3 8의 약수는 1, 2, 4, 8입니다.
8개 중에서 8의 약수인 경우는 4개이므로 1장을 골랐을 때 8의 약수일 가능성을 수로 표현하면 $\frac{1}{2}\left(=\frac{4}{8}\right)$ 입니다.

4 (1) ㉡을 고르면 윤아가 고른 회전판보다 파란색이 나올 가능성이 더 큽니다.
(2) 회전판끼리 파란색이 나올 가능성을 비교해 봅니다.
①>③, ①=④, ②>③, ②>④
따라서 윤아가 이길 가능성이 더 높습니다.

1

2

3 10 cm　　　　　　**4** $\frac{1}{2}$

5 10 ℃　　　　　　　**6** 20명

7 ㉢

8
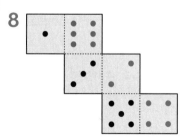

9 ❶ 48점　❷ 52.5점　❸ 은혜

---

2 금요일 다음 날은 항상 토요일이므로 금요일 다음 날이 토요일일 가능성은 '확실하다'입니다.

동전을 던지면 숫자 면이나 그림 면이 나오므로 동전을 던졌을 때 숫자 면이 나올 가능성은 '반반이다'입니다.

주사위에는 1부터 6까지의 눈이 있으므로 주사위를 던졌을 때 짝수가 나올 가능성은 '반반이다'입니다.

내일 아침에 해가 뜬다면 해가 동쪽에서 뜰 가능성은 '확실하다'입니다.

3 정육면체의 한 모서리의 길이가 직육면체의 가장 짧은 모서리가 되도록 만들어야 합니다.

$10 < 12 < 15$이므로 정육면체의 한 모서리의 길이는 10 cm입니다.

4 흰색 공을 꺼낼 가능성이 반반이므로 수로 표현하면 $\frac{1}{2}$입니다.

5 (여섯 지역의 평균 기온)
$= (10+8+12+9+8+13) \div 6$
$= 60 \div 6 = 10 \,(°C)$

6 (학생 수의 합)$=23+26+27+25+19=120$(명)
➡ (반이 6개일 때 반별 학생 수의 평균)
$= 120 \div 6 = 20$(명)

7

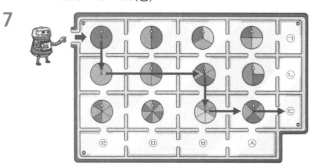

• 파란색에 멈출 가능성을 수로 표현하면 0이므로 아래쪽으로 1칸 이동합니다.

• 파란색에 멈출 가능성을 수로 표현하면 1이므로 오른쪽으로 2칸 이동합니다.

• 파란색에 멈출 가능성을 수로 표현하면 0이므로 아래쪽으로 1칸 이동합니다.

• 파란색에 멈출 가능성을 수로 표현하면 $\frac{1}{2}$이므로 오른쪽으로 1칸 이동합니다.

• 파란색에 멈출 가능성을 수로 표현하면 $\frac{1}{2}$이므로 오른쪽으로 1칸 이동합니다.

8 마주 보는 면을 찾아 바르게 점을 그립니다.

9 ❶ 지연이의 평균 점수는
$(8+9+8.5+7+7.5) \div 5$
$= 40 \div 5 = 8$(점)입니다.
➡ (지연이의 다이빙 점수)$=8 \times 2 \times 3 = 48$(점)

❷ 은혜의 평균 점수는
$(6+7+7.5+8+6.5) \div 5$
$= 35 \div 5 = 7$(점)입니다.
➡ (은혜의 다이빙 점수)$=7 \times 2.5 \times 3 = 52.5$(점)

❸ $48 < 52.5$이므로 은혜의 다이빙 점수가 더 높습니다.

누구나 100점 TEST **170쪽~171쪽**

1 72 cm
2 2가지
3 (위에서부터) 7, 4
4 83점
5 71점
6 확실하다

1 한 모서리의 길이가 6 cm인 정육면체가 만들어집니다.
(모든 모서리의 길이의 합)$=6 \times 12 = 72$ (cm)

2

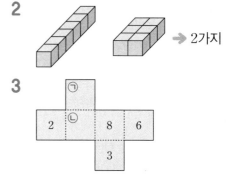

➡ 2가지

3

마주 보는 면은 2와 8, ㉠과 3, ㉡과 6입니다.
$2+8=10$이므로 ㉠$+3=10$에서 ㉠$=10-3=7$이고, ㉡$+6=10$에서 ㉡$=10-6=4$입니다.

4 (수학 점수)$=80 \times 5 - (80+82+90+65)$
$= 400 - 317 = 83$(점)

5 3명의 수학 점수의 평균이 75점이고 2명의 수학 점수의 평균이 65점이므로 전체 평균은
$(75 \times 3 + 65 \times 2) \div 5 = 355 \div 5 = 71$(점)입니다.

6 만들 수 있는 두 자리 수는 45, 47, 48, 54, 57, 58, 74, 75, 78, 84, 85, 87이고 모두 40보다 큽니다.
따라서 두 자리 수를 만들었을 때 40보다 클 가능성을 말로 표현하면 '확실하다'입니다.

정답은
이안에
있어!

배움으로 행복한 내일을 꿈꾸는
천재교육 커뮤니티 안내

. . .

교재 안내부터 구매까지 한 번에!
천재교육 홈페이지

천재교육 홈페이지에서는 자사가 발행하는 참고서,
교과서에 대한 소개는 물론 도서 구매도 할 수 있습니다.
회원에게 지급되는 별을 모아 다양한 상품 응모에도
도전해 보세요.

구독, 좋아요는 필수! 핵유용 정보 가득한
천재교육 유튜브 <천재TV>

신간에 대한 자세한 정보가 궁금하세요?
참고서를 어떻게 활용해야 할지 고민인가요?
공부 외 다양한 고민을 해결해 줄 채널이 필요한가요?
학생들에게 꼭 필요한 콘텐츠로 가득한 천재TV로 놀러 오세요!

다양한 교육 꿀팁에 깜짝 이벤트는 덤!
천재교육 인스타그램

천재교육의 새롭고 중요한 소식을 가장 먼저 접하고 싶다면?
천재교육 인스타그램 팔로우가 필수!
누구보다 빠르고 재미있게 천재교육의 소식을 전달합니다.
깜짝 이벤트도 수시로 진행되니 놓치지 마세요!